Un cerf en automne

Un cerf en automne

ROMAN

ÉRIC LYSØE

À PROPOS DE L'AUTEUR

Éric Lysøe est un écrivain français d'origine norvégienne, né en 1953.

Après s'être longtemps partagé entre la Scandinavie et la France, entre Bergen et la Vendée, il s'est installé pendant plusieurs années au Maghreb (Algérie, Maroc), puis en Égypte. De retour en France, il a poursuivi ses errances, passant de la Bretagne à l'Alsace pour finalement s'établir en Auvergne.

Universitaire et professeur de littérature comparée, spécialiste du fantastique et de la littérature belge, il est également musicien et compositeur. Ses nouvelles, comme ses romans témoignent de son ouverture à ces multiples horizons.

Dans la collection Mondes en VF

Papa et autres nouvelles, VASSILIS ALEXAKIS, 2012 (B1)

La cravate de Simenon, NICOLAS ANCION, 2012 (A2)

Enfin chez moi !, KIDI BEBEY, 2013 (A2)

Le cœur à rire et à pleurer, MARYSE CONDÉ, 2013 (B2)

Quitter Dakar, SOPHIE-ANNE DELHOMME, 2012 (B2)

La marche de l'incertitude, YAMEN MANAI, 2013 (B1)

Pas d'Oscar pour l'assassin, VINCENT REMÈDE, 2012 (A2)

Jus de chaussettes, VINCENT REMÈDE, 2013 (A2)

LA COLLECTION MONDES EN VF

Collection dirigée par Myriam Louviot
Docteur en littérature comparée

www.**mondes**en**vf**.com

Le site *Mondes en VF* vous accompagne pas à pas pour
enseigner la littérature en classe de FLE avec :

- une fiche « Animer des ateliers d'écriture en classe de FLE » ;
- des fiches pédagogiques de 30 minutes « clé en main » et
  des listes de vocabulaire pour faciliter la lecture ;
- des fiches de synthèse sur des genres littéraires, des
  littératures par pays, des thématiques spécifiques, etc.

 Téléchargez gratuitement
la version audio MP3

1

Mon *Adagio*[1] *pour trombone*[2] *et orchestre*, dites-vous ? C'est à l'instant de traverser la forêt de B*** que l'idée m'en est venue. Je regagnais la maison, après une brillante soirée de concert. L'Orchestre national de la Sinne avait créé ma *Troisième Symphonie*[3] *pour cordes*[4] avec une force et une précision remarquables. Et, comme d'habitude, les festivités associées à ce genre d'événement s'étaient prolongées jusque tard dans la nuit. J'avais quitté le théâtre vers une heure du matin, en

---

1. Adagio (n.m.) : *Morceau de musique lente, souvent partie d'un concerto.*
2. Trombone (n.m.) : *Instrument de musique à vent (dans lequel on souffle).*
3. Symphonie (n.f.) : *Composition musicale pour orchestre (ensemble de musiciens), généralement en plusieurs mouvements ou parties.*
4. Cordes (n.f. pl.) : *Ici, pour instruments à cordes, c'est-à-dire violons, violoncelles, contrebasses, etc.*

compagnie du chef d'orchestre[5] et du premier violon[6]. Notre amitié datait de nos années d'études. Il était impossible de nous séparer tout de suite. Aussi nous étions-nous accordé un délai[7] supplémentaire, afin de manger un morceau chez Maxence, au *Restaurant des Arts*. L'idée de cette dernière pause dans l'emploi du temps d'une trop longue journée me convenait à merveille[8]. Je n'aime pas rouler le ventre vide.

Ensuite ? Eh bien, ensuite, j'ai pris la route à bord de ma vieille Peugeot. Le parcours était long, monotone. Sans doute étais-je un peu ivre. Je n'avais pourtant bu que de l'eau durant le souper[9]. Quant aux coupes de champagne que j'avais bien été forcé d'accepter, à l'entracte[10], puis après le concert, cela faisait longtemps qu'elles n'étaient plus qu'un souvenir. Non, si j'avais l'esprit un peu égaré[11], il fallait en chercher ailleurs la cause. Cela devait provenir des applaudissements qui avaient accueilli ma *Symphonie*. Les rares succès que j'ai pu rencontrer dans ma carrière m'ont toujours un peu étourdi.

---

5. Chef d'orchestre : *Celui qui dirige l'orchestre (l'ensemble des musiciens).*
6. Premier violon : *Violoniste placé à l'avant, souvent le plus expérimenté, chargé de diriger les autres violonistes et de jouer les solos (parties où ne joue qu'un seul violoniste).*
7. Accorder un délai : *Se donner plus de temps.*
8. À merveille (expr.) : *Très bien.*
9. Souper (n.m.) : *Repas du soir.*
10. Entracte (n.f.) : *Pause pendant un spectacle.*
11. Égaré (adj.) : *Perdu.*

L'esprit ailleurs, j'avançais à petite allure. Si bien que le soleil se levait déjà tandis que j'approchais de mon domicile[12].

Un brouillard épais entoure l'automobile. À peine doré par la lumière matinale, il dissimule[13] tout ce qui se trouve à moins d'un mètre du sol. À l'instant de pénétrer dans la forêt, j'aperçois une tête majestueuse, coiffée d'une ample ramure[14]. On dirait qu'elle a été tranchée[15] net et posée sur une nappe blanche. C'est un cerf, un cerf magnifique qui erre parmi les hautes herbes. Et soudain, le voilà qui lève le museau en direction du ciel et lance un brame[16] solennel...

Nous étions en octobre, le temps des amours était arrivé, et le vieux mâle criait sa solitude sur cinq notes[17] graves, longues et mélancoliques. Il effectuait, entre les deux premières, ce lent *glissando*[18] qui m'a donné l'idée de transcrire[19] son chant pour le trombone. On aurait dit un couteau qui s'efforçait de déchirer la couverture épaisse du brouillard.

---

12. Domicile (n.m.) : *Maison, lieu où l'on habite.*
13. Dissimuler (v.) : *Cacher.*
14. Coiffée d'une ample ramure : *Qui a de grands bois, de grandes cornes (pour un cerf).*
15. Trancher (v.) : *Couper.*
16. Brame (n.m.) : *Cri du cerf.*
17. Note (n.f.) : *Signe musical pour symboliser un son et sa durée.*
18. Glissando (n.m.) : *Passage progressif d'un son à un autre.*
19. Transcrire (v.) : *Écrire, noter.*

J'ai arrêté l'automobile sur le bord de la route. J'ai ouvert mon vieux cartable pour y prendre une feuille de papier à musique. Puis je suis sorti et j'ai écouté avec attention la complainte[20] de l'animal. J'ai noté d'abord, dans une sorte de fièvre, chaque accent de la phrase musicale. Ensuite, par petites touches, j'ai ajouté les réponses qu'y apportait la nature tout entière, depuis les lamentations[21] du vent jusqu'aux chants des oiseaux dans les arbres.

J'étais tellement concentré que je ne prêtais plus attention aux mouvements du cerf. J'ai donc été un peu surpris de voir son gros mufle[22] se poser soudain sur ma partition[23], à l'endroit exact où j'avais placé le premier *glissando* du trombone. J'ai considéré un instant sa bonne tête pacifique, son gros œil rond, troué par le point noir de la pupille[24]. Puis je lui ai posé la main sur les naseaux et l'ai doucement écarté du papier. L'animal s'est reculé sans protester. J'ai jeté à nouveau un regard à la partition. Une trace humide s'était déposée sur les portées[25], à l'emplacement des violons. Trois gouttes

---

20. Complainte (n.f.) : *Chanson triste.*
21. Lamentation (n.f.) : *Plainte, expression de la douleur ou du regret.*
22. Mufle (n.m.) : *Bout du museau, de l'avant de la tête d'un animal.*
23. Partition (n.f.) : *Notation d'une pièce musicale, livret ou feuille sur laquelle est écrite une œuvre musicale.*
24. Pupille (n.f.) : *Rond noir au milieu de l'œil.*
25. Portée (n.f.) : *Lignes horizontales sur lesquelles on écrit des notes de musique.*

d'une salive épaisse et brunâtre dessinaient une sorte d'accord[26]. Comme si une puissance inconnue était venue compléter l'harmonie dictée par la nature.

J'ai observé un moment la forme que le hasard venait d'inscrire sur le papier. En fermant à demi les yeux, on parvenait à reconnaître un DO, un RÉ et un FA. Il n'y avait là rien d'extraordinaire après tout. Je me demandais même comment j'avais pu ne pas y penser plus tôt. Pourquoi m'avait-il fallu l'aide de ce grand cerf pour placer ces trois notes sur la portée ? Et soudain j'ai compris. Avec le SOL dièse[27] du trombone, tout en haut de la partition, ces quelques sons formaient un motif[28] que j'avais rencontré ailleurs, un motif qui était resté gravé en moi, mais dont mes yeux avaient depuis longtemps oublié le contour…

*

Quand donc ai-je pu offrir ce foulard de soie à Kathleen ? Était-ce à Dijon ou à Parme, à New York ou à Lausanne ? J'ai oublié la ville, l'heure et le jour. Mais je revois la scène avec une précision extrême…

Nous sortons d'une salle de concert après une répétition[29] particulièrement réussie. Il fait un temps

---

26. Accord (n.m.) : *En musique, ensemble de sons joués en même temps et formant une harmonie.*
27. Sol dièse : *Note de musique (G) élevée d'un demi-ton.*
28. Motif (n.m.) : *Phrase musicale qui se répète dans une œuvre.*
29. Répétition (n.f.) : *Entraînement pendant lequel on prépare un morceau de musique.*

superbe et le soleil vient incendier le visage de ma jeune épouse. Est-ce là un cadeau des dieux irlandais ? Kathleen possède une magnifique chevelure rousse. D'ordinaire, la moindre lueur y fait danser des flammes. Mais ce jour-là, la lumière est si intense que chaque mèche, chaque boucle semble brûler d'un bon feu clair. Au milieu de cette couronne éclatante, le visage prend des reflets de nacre[30], et les yeux verts jettent des étincelles.

Kathleen me prend le bras. Dans un geste d'abandon enfantin, elle vient poser sa tête dans le creux de mon épaule. Sa chaleur douce se communique à mon corps usé et je me sens soudain rajeuni, prêt à toutes les aventures.

Nous venons de passer devant la boutique d'un grand couturier. Quelque chose m'a accroché le regard, quelque chose que je n'ai pas eu le temps d'identifier. Des formes, une harmonie de couleurs. Je m'arrête. Entraînant Kathleen avec moi, je fais quelques pas en arrière. Puis je colle mon nez contre la vitrine.

C'est un foulard qui a attiré ainsi mon attention. Pareil à une algue[31], il semble flotter dans l'espèce d'aquarium gigantesque que forme la devanture[32]. De chaque côté, des mannequins vêtus de combinaisons

---

30. Nacre (n.f.) : *Matière dure et légèrement brillante qu'on trouve dans les coquillages.*
31. Algue (n.f.) : *Plante sous-marine.*
32. Devanture (n.f.) : *Avant d'une boutique, vitrine.*

lunaires, orange, noisette ou kaki, ressemblent à des plongeurs égarés dans les fonds sous-marins. Le décorateur a disposé des galets[33], de gros coquillages ou des morceaux de corail sur de larges poignées de sable, jetées un peu au hasard. Est-ce là le détail qui suffit à créer l'illusion d'une promenade à bord du *Nautilus*? Je serais incapable de le dire. D'autant qu'une seule chose m'intéresse dans cette ambiance faussement aquatique : le foulard.

Ce n'est pourtant qu'un carré de soie. Mais j'y reconnais, perdu dans des entrelacs[34] de rouille[35] et d'émeraude, un visage connu, celui de Frédéric Chopin. Cinq lignes pâles courent quelques centimètres plus bas. Une portée… Une clef de sol[36]… Puis les premières mesures du *Nocturne en si bémol mineur*… Le groupe de notes que joue la main droite du pianiste.

Kathleen s'impatiente à côté de moi, comme une enfant capricieuse. Elle cherche à deviner ce qui, dans la vitrine, a bien pu retenir mon attention. Enfin, ses yeux tombent sur le foulard. Elle lève le visage vers moi, pose sa main droite sur ma joue. Puis, d'un geste hésitant, elle se met à frapper les touches d'un piano imaginaire.

Nous entrons dans le magasin…

---

33. Galet (n.m.) : *Pierre usée et lisse.*
34. Entrelacs (n.m.) : *Ensemble de choses enroulées ou emmêlées les unes sur les autres.*
35. Rouille (n.f.) : *Couleur orangée.*
36. Clef de sol (n.f.) : *Signe placé au début d'une portée musicale et qui indique la hauteur des notes.*

Depuis, en automne, Kathleen aimait à s'envelopper le cou dans ce foulard. Le matin, encore à demi endormi, je la voyais passer de la salle de bains à la chambre, de la chambre à la salle de bains. La serviette dans laquelle elle s'était enroulée finissait par laisser la place à un chemisier assez strict. Et une fois enfilé son pantalon d'équitation[37], une fois ses bottes chaussées, sa bombe[38] enfoncée presque au ras des yeux, la dernière touche était ce carré de soie qu'elle se nouait autour du cou.

– Je vais monter Rhianna une heure ou deux, mon amour… Je t'ouvre les volets ?

Invariablement, je grognais quelque chose comme «quelle heure est-il donc?». Mais je la laissais faire, un sourire aux lèvres. Alors, la lumière hésitante du petit matin pénétrait dans la chambre. Kathleen, fin prête, venait déposer un baiser sur mon front. Je lui retenais la main un instant, murmurais un mot tendre ou deux, puis je la laissais rejoindre sa jument[39] à l'écurie[40].

*

Ah, Rhianna! C'était le sosie[41] animal de mon épouse. Je les avais rencontrées toutes deux ensemble,

---

37. Équitation (n.f.): *Art de monter à cheval.*
38. Bombe (n.f.): *Ici, chapeau pour monter à cheval.*
39. Jument (n.f.): *Femelle du cheval.*
40. Écurie (n.f.): *Lieu où sont logés les chevaux.*
41. Sosie (n.m.): *Double, personne qui ressemble énormément à une autre.*

lors d'une balade autour du Derryclare Lough, en Irlande. Je m'étais aventuré trop loin parmi les hautes herbes qui bordent le lac. À l'instant de faire demi-tour, je m'étais perdu au milieu d'épais buissons. C'est alors que Kathleen et sa jument avaient surgi, soudées[42] l'une à l'autre, comme si elles étaient inséparables.

– *Are you lost, sir ?*[43]

Me protégeant les yeux de la main, je contemplais la jeune femme à contre-jour.

– *No, but I think I presumed my strength*[44]… ai-je tenté de répondre dans mon anglais hésitant.

Elle a immédiatement compris que j'étais fatigué de me battre contre les branches, contre les épines[45] – j'avais les mains couvertes d'égratignures[46]. Elle a aussi deviné, bien sûr, que j'étais français… Elle est descendue de cheval et a poursuivi notre conversation, mais cette fois dans ma langue. Elle n'avait qu'un léger accent, sensible surtout dans sa façon de prononcer les « u » et les « ou ».

– Vous avez pris une chambre au manoir[47] de Cloonacartan ? a-t-elle demandé.

---

42. Soudées (adj.) : *Collées.*
43. « Vous êtes perdu, monsieur ? »
44. « Non, mais je pense que j'ai présumé de mes forces. »
45. Épine (n.f.) : *Piquant de certaines plantes.*
46. Égratignure (n.f.) : *Légère blessure superficielle.*
47. Manoir (n.m.) : *Petit château de campagne ou grande maison ancienne entourée de terres.*

C'était effectivement le cas et, comme je hochais la tête[48] en guise de réponse, elle a aussitôt ajouté :

– Je vais vous raccompagner là-bas. À pied, nous en avons pour deux petites heures.

En chemin, nous avons échangé quelques banalités[49], puis nous en sommes venus à évoquer nos métiers respectifs, elle sculptrice, moi compositeur. Je garde encore sur mon bureau le petit buste qu'elle a modelé à mon image, ce jour-là. Nous nous étions arrêtés à mi-parcours, pour une courte pause près d'un ancien tumulus[50] celte. Après m'avoir regardé longuement, elle a pris soudain une poignée de terre. Elle s'est détournée un instant – pour cracher dans ses mains, je suppose. Puis elle a malaxé[51] la glaise[52], en y appuyant ici le pouce, là l'index. L'opération ne lui a pris que quelques minutes. Et c'est, je crois, à la seconde précise où elle a tendu vers moi le résultat de son travail qu'un bouleversement s'est produit... Il m'a suffi de croiser son regard, de frôler sa main qui tremblait un peu sous la mienne, de toucher cette figurine d'argile encore humide qu'elle avait chauffée de ses doigts. Je venais de tomber fou amoureux d'elle.

---

48. Hocher la tête (expr.) : *Faire un petit mouvement avec la tête, en général pour dire oui.*
49. Banalité (n.f.) : *Généralité, chose sans originalité.*
50. Tumulus (n.m.) : *Tas de pierres ou de terre au-dessus d'une tombe.*
51. Malaxer (v.) : *Travailler, écraser une matière pour la rendre souple, molle.*
52. Glaise (n.f.) : *Terre, argile.*

J'allais avoir cinquante ans, Kathleen n'en avait même pas trente. Je me trouvais tout à fait ridicule. Aussi ai-je mis du temps à lui avouer mes sentiments. J'ai renoncé au voyage que j'avais prévu de faire dans tout le Connemara. J'ai préféré passer mes trois semaines de vacances au manoir de Cloonacartan. De là, bien sûr, j'ai multiplié les occasions de rencontres avec elle. Au bout de quelques jours, j'étais même devenu un familier du cottage[53] de Derryclare, où la jeune artiste avait installé son atelier. La maison de pierres sèches, perdue en plein cœur des bois, m'accueillait en fin de matinée. J'errais[54] un long moment au milieu des sculptures qui semblaient pousser au milieu du jardin, parmi les arbres et les fleurs. Puis je frappais à l'une des vitres et, presque aussitôt, j'entendais la voix de la jeune femme :

— Est-ce vous, Athan ? chantait-elle. Entrez donc, c'est ouvert.

Je poussais la porte et la rejoignais dans l'atelier. Là, je m'asseyais en silence et la regardais travailler. Pour me faire oublier, peut-être, ou éviter tout sentiment de malaise[55], je sortais quelques feuillets de papier à musique et je me forçais à écrire.

---

53. Cottage (n.m.) : *Maison de campagne.*
54. Errer (v.) : *Aller sans but précis.*
55. Malaise (n.m.) : *Sentiment de gêne, trouble.*

C'est dans ces conditions, voyez-vous, que j'ai composé mes *Douze Portraits irlandais*, pour piano et violoncelle[56].

Lorsque la lumière commençait à baisser, Kathleen abandonnait ses outils et me proposait de prendre le thé. Elle préparait avec le plus grand soin un *darjeeling* parfumé qu'elle accompagnait d'une assiette de *scones*[57]. Mais ce régal n'était en vérité qu'un prétexte. Tout en grignotant[58] ces friandises[59], nous nous lancions dans des débats interminables sur la création artistique, sur les mérites comparés de la sculpture et de la musique. À chaque fois, la discussion finissait par devenir un peu trop vive, et nous l'arrêtions soudain dans un grand éclat de rire. Kathleen s'enveloppait les épaules dans un châle[60] écossais. Je ranimais le feu dans la cheminée, et peu à peu, le calme retombait dans la maison basse.

Le soir venait. J'invitais la jeune femme au pub voisin, puis je retournais, mélancolique, à mon hôtel, bien décidé à manifester dès le lendemain mes sentiments. Mais, toujours, le courage me manquait. À deux reprises pourtant, une pluie violente m'a empêché de rejoindre Cloonacartan après le dîner. Avec un naturel

---

56. Violoncelle (n.m.) : *Instrument de musique à cordes.*
57. Scone (n.m.) : *Petit gâteau.*
58. Grignoter (v.) : *Manger en petites quantités.*
59. Friandise (n.f.) : *Gâteau ou bonbon, petite chose sucrée.*
60. Châle (n.m.) : *Grand tissu que l'on porte sur les épaules.*

surprenant, Kathleen m'a aussitôt proposé de passer la nuit chez elle. Je me suis installé dans un vieux canapé abandonné au milieu de l'atelier, et je n'ai pas tenté la moindre incursion[61] dans sa chambre.

Je n'ai osé lui avouer mon amour qu'après avoir regagné[62] mon Anjou natal. Et cela dans une lettre maladroite, où je parlais de notre différence d'âge et de tout ce qu'elle pouvait rendre impossible. Quelques jours après, je recevais un télégramme insolite[63] :

« En Irlande ou en France ? STOP. Si France, prière de m'accepter avec Rhianna. STOP. Signé : Kathleen. »

*

Deux mois plus tard, j'épousais ma belle Irlandaise. J'avais fait transformer en écurie un vieux bâtiment de ferme qui s'élevait à côté de l'habitation principale. Au lendemain de notre mariage, ce sont les hennissements[64] de la jument qui nous ont tirés du sommeil. Visiblement, Rhianna était impatiente de découvrir les sentiers[65] qu'elle allait parcourir en compagnie de sa maîtresse.

---

61. Incursion (n.f.) : *Entrée, invasion.*
62. Regagner (v.) : *Ici, rejoindre, retourner dans un lieu.*
63. Insolite (adj.) : *Étonnant, étrange.*
64. Hennissement (n.m.) : *Cri du cheval.*
65. Sentier (n.m.) : *Petit chemin.*

Par la suite, Kathleen a rarement manqué une occasion d'effectuer[66] sa promenade quotidienne. Elle a même tenu à ce que nous achetions un second cheval afin que je puisse la suivre dans ses courses matinales. C'est ainsi que Pwyll a fait son entrée dans la maison. C'était un superbe étalon[67], vif, nerveux parfois, et cependant très doux dès qu'il se sentait en confiance. Mais je reste mauvais cavalier[68] : je ne le montais que de temps en temps.

Le plus souvent donc, Kathleen partait seule sur sa jument. Combien de fois l'ai-je observée depuis la fenêtre, alors qu'elle m'imaginait sans doute en train de paresser au lit ? Son corps, courbé au-dessus de Rhianna, semblait ne faire qu'un avec celui de la bête. Ses cheveux s'échappaient de la bombe en longues vagues rousses. Ils se confondaient avec la crinière[69] du cheval aux clairs reflets de cuivre. À les voir toutes les deux, je songeais[70] à Épona, cette déesse celtique dont on a retrouvé voici peu des traces de culte[71] au beau milieu de la forêt de B***. Bien avant ma rencontre avec Kathleen, un vieillard du coin m'en avait raconté la légende. C'était une sorte d'amazone[72]

---

66. Effectuer (v.) : *Faire.*
67. Étalon (n.m.) : *Cheval.*
68. Cavalier (n.m.) : *Personne qui monte à cheval.*
69. Crinière (n.f.) : *Ensemble des crins ou « cheveux » du cheval.*
70. Songer (v.) : *Penser.*
71. Culte (n.m.) : *Cérémonie en l'honneur d'un dieu.*
72. Amazone (n.f.) : *Femme qui monte à cheval.*

qu'aucun champion du roi ne parvenait à rattraper. Elle apparaissait dans un endroit, puis presque aussitôt dans un autre, comme si son cheval l'avait transportée dans les airs. Un homme cependant avait osé se lancer à sa poursuite. Mais il était mauvais cavalier. De sorte qu'Épona n'avait eu aucune difficulté à le conduire jusqu'au sommet d'une falaise[73]. Quand il s'était vu ainsi face au vide, le malheureux n'avait pu retenir un cri de terreur. Aussitôt, la belle amazone avait mis pied à terre et s'était soumise à son médiocre[74] chasseur.

En voyant ma femme partir à la conquête des sentiers de B***, je m'imaginais être un lointain descendant[75] de cet homme. C'était par ma seule faiblesse que j'avais conquis le cœur de Kathleen.

En général, j'étais au piano lorsqu'elle revenait. Soit je reprenais un morceau commencé la veille, soit j'en improvisais[76] la suite. Le bruit des sabots[77] dans la cour, un hennissement vite contenu : je savais que ma femme était de retour. Je la laissais mener Rhianna à l'écurie et je me rendais dans la cuisine afin d'y préparer notre petit déjeuner. Kathleen était partie le ventre

---

73. Falaise (n.f.) : *Ensemble de rochers au-dessus du vide.*
74. Médiocre (adj.) : *Qui n'est pas très bon.*
75. Descendant (n.m.) : *Héritier, personne issue de quelqu'un, d'un ancêtre.*
76. Improviser (v.) : *Faire quelque chose sans l'avoir préparé. Imaginer une musique en la jouant.*
77. Sabot (n.m.) : *Ongle du cheval.*

vide. Après une heure ou deux de course dans la forêt, elle était pour ainsi dire morte de faim.

*

Un matin d'automne cependant, ce bonheur simple et douillet[78] s'en est allé. J'étais au piano, comme d'habitude, et comme d'habitude, j'ai entendu la jument faire rouler les graviers[79] de la cour. Mais son pas irrégulier, ses hennissements répétés trahissaient[80] une agitation anormale.

Je me suis précipité, et j'ai découvert aussitôt la cause de son énervement. Cela paraissait impossible, tant Kathleen et Rhianna s'entendaient à merveille. Et pourtant! La jument était rentrée seule. Elle avait vidé la cavalière de sa selle[81]. Ma femme devait être étendue, quelque part au bord d'un sentier, étourdie[82], gémissante[83]. Sans doute était-elle gravement blessée. Sinon, elle se serait arrangée pour remonter aussitôt à cheval. Le fait qu'elle ne soit pas revenue me laissait craindre le pire.

---

78. Douillet (adj.) : *Confortable.*
79. Gravier (n.m.) : *Petits cailloux.*
80. Trahir (v.) : *Ici, montrer, laisser deviner.*
81. Vider de sa selle : *Faire tomber.*
82. Étourdie (adj.) : *Ici, qui a perdu connaissance, qui est sans force et sans volonté.*
83. Gémissante (adj.) : *Qui se plaint à cause de la douleur.*

J'ai couru jusqu'aux écuries et sellé Pwyll en moins de temps qu'il ne faut pour le dire. Puis j'ai entraîné Rhianna à notre suite. Très vite, la jument a compris ce qu'on attendait d'elle. Elle nous a conduits jusqu'à l'endroit de l'accident.

Kathleen est étendue[84] sur le sol, au milieu d'un chemin étroit, bordé de chênes centenaires[85]. Je mets pied à terre et me précipite à ses côtés.

Un sourire se dessine sur ses lèvres. Et je veux me persuader qu'à cet instant précis, elle vient de me reconnaître. *Tout va bien... Je suis là pour te porter secours...*

Mais ses yeux sont vides déjà.

Une branche morte, noire comme un bras de sorcière, lui a perforé[86] la gorge[87] avant de se briser sous l'effet du choc. Kathleen a tellement saigné[88] que ses dernières forces l'abandonnent. Je suis terrorisé à l'idée de devoir la déplacer. Mais si j'attends encore, si je la laisse ici pour chercher les secours, je peux être sûr qu'elle sera morte lorsque les pompiers, les médecins ou les infirmiers arriveront.

Alors je fais ce que je crois être la seule chose possible. J'arrache un morceau de ma chemise et le déchire

---

84. Étendue (adj.) : *Allongée, couchée.*
85. Bordé de chênes centenaires : *Le long duquel il y a de très vieux arbres.*
86. Perforer (v.) : *Trouer.*
87. Gorge (n.f.) : *Cou.*
88. Saigner (v.) : *Perdre du sang.*

en deux. Puis après avoir retiré la branche meurtrière, j'enfonce l'un des morceaux de tissu dans la blessure et le maintiens en place en nouant l'autre bout autour de l'épaule meurtrie[89].

Les traits[90] de Kathleen se déforment une seconde à peine, le temps d'une grimace[91] qui, presque aussitôt, s'évanouit[92]. Son visage redevient étonnamment calme. Ses yeux, qui semblent avoir retrouvé leur lumière, me fixent avec une intensité effrayante.

– *Is it you, my love?* murmure-t-elle d'une voix à peine audible[93]. « *Oh! Athan!... Please, take me... Take me to those countries where suffering no longer exists...* »[94]

Je me penche au-dessus d'elle, et je la regarde en silence, la bouche à demi ouverte, comme si je ne comprenais pas ce qu'elle cherche à me dire. *T'emmener dans un monde où la souffrance n'existe pas? Mais quel est-il ce pays, mon amour? Comment en trouverai-je le chemin?*

Enfin, je la prends dans mes bras. Je la soulève avec autant de précautions qu'il est possible. Puis je me mets en marche en direction de la maison. Je progresse à pas

---

89. Meurtrie (adj.) : *Blessée.*
90. Trait (n.m.) : *Lignes du visage.*
91. Grimace (n.f.) : *Déformation du visage, ici à cause de la souffrance.*
92. S'évanouir (v.) : *Ici, disparaître.*
93. Audible (adj.) : *Qu'on peut entendre.*
94. « Oh! Athan!.. Je t'en prie, emmène-moi... Emmène-moi en ces pays où la souffrance n'existe plus... »

lents, en m'efforçant d'éviter la moindre secousse[95], le plus imperceptible[96] faux mouvement.

Je te serre contre moi, Kathleen. Un filet[97] de sang sort de ta bouche et je sens, de seconde en seconde, ton corps devenir plus froid. C'est la fin. Je voudrais une fois encore entendre ta voix, respirer ton souffle aux parfums de plantes sauvages. Mais l'odeur qui monte de tes lèvres entrouvertes est celle de la terre, de l'humus[98]. Des senteurs d'automne et de mort. Toi qui savais donner l'apparence de la vie à un simple morceau de glaise, te voilà qui retournes à la poussière, à la boue informe et pesante.

J'entends comme un froissement de feuilles dans les buissons voisins. Une biche[99] passe, sans doute poursuivie par un mâle. Et je réalise soudain que nous sommes en octobre. Malgré les larmes qui brouillent[100] ma vue, je prends conscience du changement accompli durant ces derniers jours. Un miracle s'est produit, sans même que je m'en rende compte. Car ces derniers temps, j'avais trop souvent le nez dans mes partitions. Pour célébrer ton départ, Kathleen, le paysage s'est

---

95. Secousse (n.f.) : *Agitation, mouvement brusque.*
96. Imperceptible (adj.) : *Qu'on ne remarque presque pas.*
97. Filet (n.m.) : *Ici, quelque chose qui coule doucement.*
98. Humus (n.m.) : *Couche supérieure du sol, mélange de terre et de feuilles.*
99. Biche (n.f.) : *Femelle du cerf.*
100. Brouiller (v.) : *Rendre trouble.*

teint[101] de toutes les nuances de roux. Ce sont tes cheveux, aux mille reflets, qui courent d'un arbre à l'autre. Oui, ce sont eux qui recouvrent le sol, eux encore qui se mêlent aux fleurs d'automne, aux mauves tendres des colchiques[102], aux jaunes éclatants des crocus[103]. Comment ai-je pu ne voir en toi qu'une descendante d'Épona, la déesse cavalière ? Tu étais cent fois plus : la vie et les saisons, le temps et la nature tout entière.

*

La biche a pris des airs affolés[104], comme si un danger la menaçait. Aussitôt, de vieilles légendes me reviennent en mémoire. On y voit un chasseur poursuivre sa proie[105] jusqu'à l'épuisement. Au bout de la course, la femelle, parfois blessée à mort, finit par se changer en princesse. Ainsi Fionn Mc Cumhaill suit-il la piste d'une de ces créatures étonnantes, une biche d'un blanc éblouissant. Mais voilà qu'à l'instant de se laisser prendre, la bête se transforme en une ravissante jeune femme. Et c'est le chasseur qui finalement se jette aux pieds de sa proie et la supplie[106], à genoux, de bien vouloir lui pardonner.

---

101. Se teindre (v.) : *Se colorer.*
102. Colchique (n.f.) : *Fleur d'automne violet pâle.*
103. Crocus (n.m.) : *Petite fleur.*
104. Affolé (adj.) : *Qui a peur.*
105. Proie (n.f.) : *Animal capturé pour être mangé.*
106. Supplier (v.) : *Prier, demander avec soumission.*

Dieu que tu aimais cette légende Kathleen! Pas tellement, en fait, pour la magie de cette rencontre. Non, tu en appréciais surtout la suite. Car l'histoire est loin de s'arrêter là. Le couple va donner naissance à Oisin, l'ancêtre des poètes irlandais. Et ce personnage, dont le nom signifie «petit faon [107]», rend hommage à la nature fabuleuse de sa mère. Une fois devenu homme, il tombera, comme son père, amoureux d'une créature fantastique. Pas d'une biche cette fois, mais d'une *banshee* ou, si vous préférez, une envoyée du Tir-na-nÒg, le pays où l'on ne vieillit pas. Pour épargner à son mari les souffrances de l'âge, Niamh, cette messagère de l'au-delà, voudra tout naturellement retourner dans son monde paradisiaque. Les deux époux monteront ainsi sur un cheval magique, le seul capable de traverser les grandes mers occidentales.

Feras-tu comme elle, Kathleen? Me prendras-tu sur le dos de Rhianna pour nous conduire vers des terres inconnues, loin au-delà de l'océan? Me redonneras-tu à jamais ma jeunesse perdue? Je sens les années m'écraser désormais de leur poids. Est-ce ton corps ou le mien qui devient plus lourd à mesure que j'avance, à mesure que ta tête, comme celle d'un oiseau blessé, balance un peu plus entre mes bras? La source [108] claire qui coulait dans tes veines s'assèche à présent. J'en cherche les dernières

---

107. Faon (n.m.): *Petit du cerf et de la biche.*
108. Source (n.f.): *Au sens propre, eau sortant du sol. Ici, la source claire est une image de la vie.*

gouttes sur tes lèvres. Mais tout ce que je parviens à en boire n'est qu'un vin noir, un sang épais au goût amer…

Après un temps d'hésitation, la biche a filé droit devant elle. Son poursuivant, un jeune cerf qu'on voit à présent errer dans les fourrés[109], semble avoir définitivement perdu sa trace. Il me regarde un instant, sans crainte[110] aucune. On dirait qu'il reconnaît en moi l'un des siens. Son instinct ne l'a pas trompé. Comme lui, j'ai laissé fuir ce qui m'importait le plus au monde. Déjà, ta peau se fane[111], Kathleen. Le blanc de ton œil devient terne et opaque[112]. La mort a commencé son sale travail. Ton âme, portée par les vents, a pris son envol. Elle doit faire route en direction de Derryclare.

C'est plus tard, bien plus tard, après t'avoir étendue sur notre lit, que j'ai dénoué[113] ton foulard. L'accident ne l'avait qu'à peine sali. Le visage de Chopin était intact. Tout au plus, quelques gouttes de sang étaient-elles venues tacher la soie à l'endroit de la portée. Le *Nocturne en Si bémol* s'enrichissait ainsi de quatre notes – quatre notes comme dictées par la mort : un DO, un RÉ, un FA et un SOL…

---

109. Fourré (n.m.) : *Buisson, endroit où la végétation est dense.*
110. Crainte (n.f.) : *Peur.*
111. Se faner (v.) : *Perdre son éclat, sa fraîcheur.*
112. Opaque (adj.) : *À travers lequel on ne peut pas voir.*
113. Dénouer (v.) : *Défaire un nœud.*

2

— Qu'on amène l'accusé !...

L'ordre résonne encore dans la salle du parlement quand le petit homme fait son apparition. En entrant, il trébuche[114]. Son corps, soudain, penche en avant. On dirait qu'une main invisible l'a poussé et qu'il va perdre l'équilibre. Mais le voilà qui se raccroche à un banc et, presque aussitôt, retire son bonnet de feutre[115] vert. Puis il s'incline[116] avec respect et, tête baissée, se laisse conduire jusqu'à la barre. Il pose les mains sur cette longue balustrade[117] qui le sépare de ses juges. Il en caresse le bois noirci, usé par tant d'autres témoins, tant d'autres accusés. C'est alors seulement qu'il ose lever les yeux, retrouvant un peu d'assurance. Il dévisage

---

114. Trébucher (v.) : *Faire un faux pas, perdre l'équilibre.*
115. Feutre (n.m.) : *Matériau souple obtenu à partir de laine.*
116. S'incliner (v.) : *Se pencher légèrement en avant pour saluer.*
117. Balustrade (n.f.) : *Sorte de petite barrière, rampe soutenue par des petits piliers.*

le président du tribunal, un grand vieillard aux cheveux blancs. Son regard tombe ensuite sur le procureur[118] du roi. Ce n'est qu'une silhouette[119], cachée dans l'ombre. Mais on devine sa figure, longue et sèche, tranchante[120] comme un couteau. Le troisième magistrat[121] est, lui, plus rond, plus court. Il se tient en pleine lumière et fixe l'accusé d'un air faussement aimable. Sa tonsure[122] laisse deviner qu'il est homme d'Église. Mais on dirait plutôt un gros chat noir qui guette une souris et savoure par avance l'instant où, d'un bond, il lui brisera les os.

– Présentez-vous, Matthieu Sçavart, et racontez-nous votre histoire.

Intimidé, le petit homme commence à regretter de ne pas avoir demandé l'aide d'un avocat[123]. Il se met à tourner nerveusement son bonnet entre ses doigts. Il cherche ses mots, se retient de parler, comme honteux de lui-même. Puis soudain, le voilà qui paraît se détendre. Il fixe les trois juges de son regard clair avant de commencer son récit le plus naturellement du monde :

---

118. Procureur (n.m.) : *Fonctionnaire de justice chargé des intérêts du roi, de l'État ou du public devant un tribunal.*
119. Silhouette (n.f.) : *Forme générale d'un être ou d'une chose.*
120. Tranchante (adj.) : *Coupante.*
121. Magistrat (n.m.) : *Fonctionnaire de justice.*
122. Tonsure (n.f.) : *Partie rasée en forme de cercle sur la tête de certains religieux.*
123. Avocat (n.m.) : *Personne dont le métier est de défendre ses clients en justice.*

– Je m'appelle Matthieu Sçavart. Je suis arpenteur[124] royal. J'exerce cet emploi depuis le 17 septembre de l'an de grâce 1696. Et durant tout ce temps, je n'ai fait que servir mon Dieu, mon roi et ses ministres.

Le président du tribunal fait une légère grimace avant de pointer du doigt la pile de documents déposée devant lui.

– Je veux bien croire que vous êtes un fonctionnaire[125] modèle, mon ami. Cependant… Vous aviez en charge la forêt de B***, n'est-ce pas ? Alors, expliquez-moi pourquoi, en quinze ans, vous n'avez jamais transmis[126] la moindre indication concernant cet endroit ? Pas une note, pas un relevé[127]. Rien ! Il a fallu des disparitions, un meurtre et une enquête de police pour qu'enfin nous soyons tenus au courant de ce qui s'y passe…

– Je vais vous expliquer, Excellence, répond le petit homme après un temps d'hésitation… L'affaire a commencé en 1697. J'avais jusqu'alors travaillé avec méthode et n'avais rencontré aucun problème. Je m'étais occupé des domaines les plus à l'est avant de progresser pas à pas vers l'ouest. Le 22 mars, j'atteignais la forêt de B***. J'ai commencé par en mesurer le périmètre[128] en tendant

---

124. Arpenteur (n.m.) : *Celui qui mesure les terres.*
125. Fonctionnaire (n.m.) : *Qui travaille pour l'État.*
126. Transmettre (v.) : *Donner.*
127. Relevé (n.m.) : *Liste, notes pour faire un bilan.*
128. Périmètre (n.m.) : *Tour.*

mes cordes tout autour. Elle dessinait un trapèze[129] à peu près régulier. Il était donc facile d'en déduire la taille des côtés. Tout s'est compliqué cependant quand j'ai voulu vérifier mes calculs. Car j'ai utilisé la technique des diagonales. C'est celle que nous employons le plus souvent, nous autres arpenteurs. Et d'habitude, cela donne de bons résultats. J'ai glissé des perches[130] à travers bois. En les mettant soigneusement bout à bout j'ai pu évaluer leur longueur totale… J'ai eu alors une bien désagréable surprise. Mes deux séries de nombres ne correspondaient pas. Et il s'en fallait de beaucoup! On ne comptait pas moins de deux cents arpents[131] de différence. La forêt de B*** était… *démesurée!*

– Démesurée? demande le président, en levant un sourcil. Que voulez-vous dire par là, maître Sçavart?

– Qu'on ne peut en évaluer précisément les dimensions, Excellence. Tout s'y passe comme s'il y avait un pli dans la ligne d'horizon.

– Je vois, vous parlez sans doute d'une irrégularité du terrain.

– Oh non, votre Grâce[132]! Il ne s'agit pas de cela, mais alors pas du tout. Nous autres, arpenteurs, savons évaluer les distances, même à travers les bosses ou les

---

129. Trapèze (n.m.): *Forme géométrique avec quatre côtés dont deux parallèles.*
130. Perche (n.f.): *Long bout de bois.*
131. Arpent (n.m.): *Ancienne mesure.*
132. Votre Grâce: *Formule respectueuse.*

creux. Non ! C'est bien plutôt… Comment dire ?...
L'endroit désobéit aux lois les plus courantes de la géo-
métrie. Imaginez que je me place en plein cœur de la
forêt de B*** et que j'y trace un angle droit. J'obtiendrai
une figure[133] qui, à l'œil nu, me paraîtra juste. Pourtant,
une fois retourné chez moi, je découvrirai que mon
dessin correspond non pas à quatre-vingt-dix, mais
à quatre-vingt-treize, voire à quatre-vingt-quatorze
degrés[134]. Et cela, quel que soit le soin avec lequel j'aurai
utilisé mes compas[135] et mes règles. Comment voulez-
vous dès lors mesurer un tel domaine ?

« Je suis retourné sur place à quinze, à vingt
reprises. À chaque fois, j'ai recommencé mes calculs. Et
à chaque fois, j'ai obtenu des résultats contradictoires.
Je n'ai pas abandonné pour autant, notez bien. Tous les
ans, à l'automne, lorsque j'estimais avoir suffisamment
avancé dans mes autres travaux, je revenais à B***. Sans
jamais trouver cependant la solution du problème. »

— Si je comprends bien, Matthieu Sçavart, nous
voilà devant des équations[136] que vous n'avez pas su
résoudre !...

C'est Marc du Faulnay, le procureur du roi, qui vient
de prendre ainsi la parole. Il est sorti tout à coup de son
coin d'ombre et fixe à présent l'accusé d'un air mauvais.

---

133. Figure (n.f.) : *Forme, dessin.*
134. Degré (n.m.) : *Unité de mesure d'un angle.*
135. Compas (n.m.) : *Instrument de mesure.*
136. Équation (n.f.) : *Problème mathématique.*

– Monsieur le Conseiller! proteste l'arpenteur. Je ne suis certes pas un génie des mathématiques, mais je connais les bases du calcul! Et, comme je vous l'ai dit, la forêt de B*** est tout simplement impossible à mesurer.

– Je comprends, intervient le président du tribunal. Et vous rencontrez souvent de telles difficultés?

– Durant ses cours, Jérôme du Tendre, mon vieux maître, m'a bien parlé d'un marais[137] du Poitou où il avait rencontré des problèmes de ce genre. Mais je dois avouer, Excellence, que la chose est plutôt rare. Les collègues avec lesquels j'en ai discuté n'ont pu me donner le moindre conseil. Personne n'a vraiment l'expérience de ces... *convulsions*[138] de l'espace.

Marc du Faulnay considère l'arpenteur d'un air méprisant.

– Admettons! concède-t-il d'un ton grincheux[139]. Voilà qui n'explique pas les cadavres[140] qu'on a découverts dans ce trou de la roche...

– Des cadavres? demande le petit homme. Si vous le permettez, monsieur le Conseiller, je crois qu'il serait plus exact de parler de dépouilles[141]. Oui!... Car cela ressemble exactement aux enveloppes qu'abandonnent

---

137. Marais (n.m.): *Région recouverte par des eaux peu profondes.*
138. Convulsion (n.f.): *Contraction brusque, violente.*
139. Grincheux (adj.): *Qui se plaint, de mauvaise humeur.*
140. Cadavre (n.m.): *Corps mort.*
141. Dépouille (n.f.): *Peau que rejette un animal qui en change (comme le serpent par exemple). Peut aussi désigner le corps d'un mort.*

certains animaux lorsqu'ils font leur mue[142]. Quant à vous donner une explication là-dessus… J'en suis tout à fait incapable…

– Reprenez donc votre récit, maître Sçavart ! lance le président, irrité de voir le procureur du roi interrompre le récit de l'accusé. De telles questions sont utiles sans doute, mais elles arrivent toujours trop tôt.

– Bien, Excellence ! Je continue. Nous voilà donc en septembre de l'an passé. Je suis au milieu de la forêt, cherchant une fois de plus à prendre mes mesures, quand un étrange bourdonnement[143] se fait entendre. Je lève le nez et j'observe les alentours. Je finis par apercevoir quelque chose, juste au-dessus d'un grand massif d'anémones[144]. On dirait une sorte de libellule[145], mais d'une taille peu ordinaire. Intrigué, je m'approche et c'est là que… que je la vois !…

L'accusé se tait soudain. Il se met à contempler ses juges, l'œil vide. Un silence lourd de menaces plane sur l'auditoire[146].

– Qu'avez-vous donc vu, monsieur l'arpenteur ? demande enfin le procureur du roi.

---

142. Mue (n.f.) : *Changement de peau de certains reptiles (serpents, etc.).*
143. Bourdonnement (n.m.) : *Bruit sourd et permanent, comme celui du vol d'un insecte.*
144. Anémone (n.f.) : *Fleur qui est rose teintée de mauve en automne.*
145. Libellule (n.f.) : *Insecte avec de grandes ailes qu'on trouve souvent au bord de l'eau.*
146. Auditoire (n.m.) : *Ensemble des personnes qui écoutent.*

Matthieu Sçavart hésite avant de répondre. Il sait qu'il va déclencher[147] les rires dans tout le tribunal. Il reste un long moment silencieux, la bouche ouverte. Il fouille[148] dans ses poches, enfonce ses doigts dans son bonnet comme pour se rassurer. Puis il détourne le regard et finit par murmurer entre ses dents :

– Je sais bien qu'on va me prendre pour un fou… C'est que… Je veux parler de la fée[149] !…

Aussitôt un grand bruit se fait entendre dans la salle du parlement. Il n'y a pourtant pas beaucoup de monde. Le public n'a pas eu le droit d'assister au procès. Mais greffiers[150] et juges, huissiers[151] et gendarmes[152], tous éclatent de rire. Seul le président du tribunal parvient à garder son sérieux.

– Maître Sçavart, lance le vieil homme en fixant l'accusé dans les yeux, votre réputation est parvenue jusqu'à nous. Chaque village vante[153] vos talents de conteur, bien plus, hélas ! que vos travaux d'arpenteur. On vous invite à dîner pour le seul plaisir d'entendre vos histoires. Et l'on vous écoute pendant des heures,

---

147. Déclencher (v.) : *Provoquer.*
148. Fouiller (v.) : *Chercher.*
149. Fée (n.f.) : *Être féminin imaginaire qui possède des pouvoirs magiques.*
150. Greffier (n.m.) : *Dans un tribunal, personne chargée de noter ce qui se dit et ce qui se passe.*
151. Huissier (n.m.) : *Autrefois, personne chargée d'ouvrir les portes d'un tribunal, de contrôler et d'annoncer les entrées et sorties.*
152. Gendarme (n.m.) : *Policier.*
153. Vanter (v.) : *Parler en bien, dire du bien.*

émerveillé par ce que vous trouvez à dire. Ce n'est toutefois ici ni le temps, ni le lieu. Nous sommes dans un tribunal et vous êtes accusé de crimes horribles. Comprenez-vous que nous ne pouvons croire à votre fée ?

– Je veux bien qu'on l'appelle libellule, reprend l'arpenteur, embarrassé. Mais ce que je viens de dire, Excellence, n'a vraiment rien d'un conte. Je décris ce que j'ai vu, je le jure. Devant moi se tenait une jolie demoiselle, toute serrée dans son petit corset[154] vert. Elle agitait une double paire d'ailes, c'est vrai, mais elle ne portait pas d'antennes[155]. Elle possédait d'ailleurs deux jambes aux cuisses[156] longues, aux petits mollets[157] ronds et roses. Rien à voir, je vous l'assure, avec les affreuses pattes d'un insecte ! Puis surtout, votre libellule... Eh bien, elle me regardait avec de jolis yeux en amande. Et j'y voyais luire[158] des éclats d'émeraude.

« Elle s'est mise à tourner autour de moi avec de petits rires aigus. Elle devait vouloir m'entraîner dans l'un de ses jeux. Mais j'avais plutôt l'impression que mille guêpes[159] bourdonnaient à l'intérieur de ma tête. Pour ne

---

154. Corset (n.m.) : *Vêtement que les femmes portaient autrefois et qui était serré à la taille.*
155. Antenne (n.f.) : *Organe que certains insectes ont sur la tête et qui leur sert à se repérer.*
156. Cuisse (n.f.) : *Partie supérieure de la jambe.*
157. Mollet (n.m.) : *Partie inférieure de la jambe, comprise entre la cheville et le genou.*
158. Luire (v.) : *Briller très légèrement.*
159. Guêpe (n.f.) : *Insecte à rayures jaunes et noires et qui peut piquer.*

plus les entendre, je me suis penché légèrement vers le sol et me suis plaqué[160] les mains sur les oreilles. C'est ainsi que j'ai trébuché contre les pierres. Un rocher a roulé à ma droite, le sol s'est ouvert sous mes pas et alors... »

– Et alors vous avez découvert les cadavres ! se presse[161] de conclure le procureur du Faulnay.

– Non ! Non ! proteste le petit homme. La grande salle dans laquelle je me trouvais n'avait rien d'un cimetière[162], je vous l'assure, monsieur le Conseiller. J'ai même cru que je venais de tomber dans la cachette d'un braconnier[163]. Une odeur de terre humide, d'animal sauvage et de feuilles mortes flottait autour de moi. On avait accroché des ramures de cerfs un peu partout aux murs. Le sol était couvert de peaux de bêtes. Bref, j'avais l'impression d'être entré dans le refuge d'un chasseur.

« Une chose me choquait malgré tout dans ce décor, un objet qui paraissait ne pas appartenir à l'ensemble : un grand trône[164] entièrement recouvert d'or. Et il avait en guise[165] d'accoudoirs[166] deux serpents à tête de cerf. »

---

160. Plaquer (v.) : *Ici, coller, poser fermement.*
161. Se presser (v.) : *Se dépêcher.*
162. Cimetière (n.m.) : *Lieu où l'on enterre les morts.*
163. Braconnier (n.m.) : *Celui qui chasse sans en avoir le droit.*
164. Trône (n.m.) : *Sorte de fauteuil élevé, en général pour les rois et les gens importants.*
165. En guise de : *Pour servir de.*
166. Accoudoir (n.m.) : *Partie d'un siège, d'un fauteuil où l'on peut poser les bras.*

«Je me suis approché de ce siège qui, malgré la pénombre environnante, jetait ses reflets sur les murs de la pièce. Le dossier était orné[167] d'une scène en relief. On y voyait une créature à trois visages, couronnée d'une ample ramure. Pour le reste, tout dans l'expression, dans l'attitude du personnage faisait penser à ces statuettes que les missionnaires[168] nous ont ramenées d'Orient. Assis en tailleur[169], les mains posées sur les genoux, il était d'apparence robuste[170], un peu lourde même, à voir son ventre retomber sur ses cuisses. Et son sourire possédait quelque chose d'indéfinissable, de mystérieux, d'énigmatique.»

«Pour dire la vérité, je ne sais ce qui m'a pris : j'ai voulu m'asseoir sur ce trône. Aussitôt, la petite fée – je veux dire la... «libellule» a deviné mes intentions. Elle a recommencé à voltiger[171] autour de ma tête, à se cogner contre mon front, comme un papillon qui frappe le verre d'une lanterne. Et elle faisait résonner à nouveau son bourdonnement insupportable. Celui-ci néanmoins n'avait plus grand-chose à voir avec des rires. Même si je n'y comprenais rien, j'avais l'impression que la jolie demoiselle cherchait à me prévenir. Elle ne voulait pas que je prenne place dans le siège de bois doré.»

---

167. Orné (adj.) : *Décoré.*
168. Missionnaire (n.m.) : *Religieux envoyé en mission dans un autre pays.*
169. Assis en tailleur : *Assis les jambes repliées et croisées.*
170. Robuste (adj.) : *Solide.*
171. Voltiger (v.) : *Voler d'un côté à l'autre.*

«– Allons, petite idiote, lui dis-je. Il faut bien que je voie ce qui se passe ici. »

« Et je me suis assis, sans plus m'occuper d'elle. Aussitôt, le sol s'est mis à trembler. Un des murs a glissé sur le côté dans un bruit épouvantable. Le trône dans lequel je m'étais installé a tourné sur lui-même, et une seconde chambre secrète s'est soudain montrée à mes yeux. »

« Cette nouvelle pièce était entièrement tapissée[172] d'or, depuis le sol jusqu'au plafond. Les murs étaient couverts de bas-reliefs.[173] Comme sur le dossier du trône, ce n'étaient partout que des images de cerfs, de biches ou de faons. On voyait également apparaître, ici ou là, le même personnage coiffé d'une large ramure, toujours assis en tailleur, son gros ventre en avant. Près de lui, des jeunes gens, des jeunes filles, aussi nus qu'au jour de leur naissance, effectuaient des danses sensuelles[174] en compagnie d'un couple de serpents à tête de cerfs. »

« Il n'était pas bien difficile de deviner quel genre de fêtes se donnaient en ce lieu. On s'y abandonnait, à coup sûr, aux pires excès. Les plaques d'or qui couvraient le sol portaient des traces de toute espèce, des marques de talons, de griffes, de sabots[175]. Et beaucoup

---

172. Tapissée (adj.) : *Recouverte.*
173. Bas-relief (n.m.) : *Sculpture dans un mur.*
174. Sensuelles (adj.) : *Qui évoque les plaisirs des sens. Ici proche d'érotique.*
175. Sabot (n.m.) : *Ongle de certains animaux (cerfs, chevaux), mais aussi chaussure en bois que portaient les paysans.*

n'étaient pas sabots de paysans! Combien de jeunes du pays pouvaient se retrouver entre ces murs? En quelles circonstances tenaient-ils leurs horribles sabbats[176]?»

«Je laissais mon esprit errer en quête de réponse, quand j'ai aperçu, à deux toises[177] à peine de mon siège, ce qui, de loin, ressemblait à un bouquet de fleurs. Je me suis levé et, après m'être avancé de quelques pas, j'ai pu voir de quoi il s'agissait. C'était une couronne de crocus et de colchiques entrelacés[178]. Je l'avais vu porter quelque temps plus tôt, lors de la fête du village. Que de jours se sont écoulés[179], votre Grâce, que de jours depuis cette dernière matinée de joie! Des semaines, des mois entiers... Aujourd'hui encore pourtant, les souvenirs m'en reviennent en mémoire, plus vivants que jamais...»

L'arpenteur ferme les yeux et sa voix, comme surgie du passé, paraît étrangement lointaine.

– Les jeunes filles des environs ont mis leur plus belle robe. Elles se sont rendues en procession[180] jusque devant l'église. Elles doivent élire la «fiancée[181] de l'automne», celle qui, à leurs yeux, possède toutes les qualités d'une bonne épouse[182]. C'est cette vierge, la

---

176. Sabbat (n.m.): *Ici, cérémonie en l'honneur du diable.*
177. Toise (n.f.): *Ancienne unité de mesure (environ 2 mètres).*
178. Entrelacés (adj.): *Liés, attachés ensemble, emmêlés.*
179. S'écouler (v.): *Ici, passer.*
180. Procession (n.f.): *Marche religieuse.*
181. Fiancée (n.f.): *Celle qui est promise en mariage, qui doit bientôt se marier.*
182. Épouse (n.f.): *Femme mariée.*

plus belle mais aussi la plus raisonnable d'entre elles, qui doit porter la couronne de fleurs. Pourquoi donc, cette fois-là, deux ou trois de ces demoiselles ont-elles désigné Aurélie, la bergère[183] des Ambiaux ? Je n'en ai aucune idée, Excellence. Ce n'est pas que la petite soit laide[184], bien au contraire ! Mais Notre Seigneur l'a presque entièrement privée d'esprit.

« Malgré tout, l'idée est lancée et le choix s'impose rapidement. On n'a pas encore sonné la messe[185] que la pauvre enfant se tient déjà à la porte de l'église, le front orné de crocus et de colchiques. Absorbée[186] par son rôle, elle entre la première dans la maison de Dieu et, avec des airs de grande dame, elle prend place au premier rang… »

Un silence de mort s'est fait dans le tribunal. Les images se précipitent dans l'esprit des juges. Tous ont lu le rapport de police. Et chacun se représente la jeune fille, allongée au milieu des feuilles mortes, la gorge déchirée, abandonnée aux bêtes sauvages. Matthieu Sçavart, lui, semble indifférent au malaise que provoquent ses paroles. Il continue son récit, le regard dans le vague, comme perdu dans ses souvenirs.

« Aurélie était une enfant très douce et je trouvais bien triste de la voir devenue la cible[187] d'une mauvaise

---

183. Bergère (n.f.) : *Personne chargée de garder les moutons.*
184. Laide (adj.) : *Pas belle.*
185. Messe (n.f.) : *Cérémonie religieuse.*
186. Absorbée (adj.) : *Ici, concentrée (sur son rôle).*
187. Cible (n.f.) : *Objet sur lequel se concentrent les regards ou, comme ici, les moqueries.*

plaisanterie. J'ai donc été à peine surpris d'apprendre qu'elle n'était pas rentrée à la ferme. Les danses et les chants s'étaient prolongés tard dans la soirée. La pauvre fille avait probablement fini par comprendre que l'on se moquait d'elle. Dès le lendemain en tout cas, j'ai craint qu'elle n'ait mis fin à ses jours[188]. »

– Allons, maître Sçavart ! gronde le procureur du roi. Pourquoi ne pas avouer que c'est vous qui l'avez entraînée dans les bois, comme chacune de vos victimes ? Vous qui l'avez emprisonnée dans votre repaire[189] ! Vous qui, un mois plus tard, l'avez assassinée, après lui avoir fait subir sans doute d'odieuses[190] tortures. Tout cela ne fait malheureusement aucun doute !

Marc du Faulnay s'est dressé, dans une attitude théâtrale. Il pointe le doigt en direction de l'accusé. Mais il a beau chercher à impressionner l'arpenteur, il ne réussit guère qu'à lui faire secouer la tête, dans un geste de démenti[191].

– Jamais ! proteste Matthieu Sçavart. Jamais je n'aurais fait de mal à Aurélie ! D'ailleurs, je l'ai revue par la suite, la petite. Comme chacun de ses camarades. Oui ! Tous ceux qu'on m'accuse d'avoir tués, tous je les ai rencontrés. Et je vous assure qu'ils étaient bien en vie !

---

188. Mettre fin à ses jours : *Se suicider, se donner la mort.*
189. Repaire (n.m.) : *Lieu de refuge de bêtes sauvages ou de personnes dangereuses.*
190. Odieuses (adj.) : *Détestables, cruelles, terribles.*
191. Démenti (n.m.) : *Négation, pour contredire quelque chose.*

Le petit homme tombe à genoux et se met à sangloter comme un enfant.

– Cela suffit, Sçavart! gronde le président du tribunal. Regagnez votre place! Nous reprendrons votre récit une fois que vous serez calmé.

Décidément, l'arpenteur dépasse les bornes[192]. Ses théories invraisemblables useraient la patience du Christ en personne. Le vieux magistrat donne un brusque coup de maillet[193] sur la table. Puis, s'adressant à l'homme à perruque[194] grise qui, depuis le début du procès, se tient près de la porte, il ajoute:

« Huissier, qu'on fasse entrer le lieutenant général de police. »

*

Quelques instants plus tard, Nicolas Deslerot pénètre dans la salle. C'est un être long et mince, aux gestes ralentis. Il a tout d'une araignée à l'affût[195]. L'activité de son cerveau paraît se concentrer entièrement dans son œil. On le sent qui observe sa proie, la laisse s'emmêler dans les fils de la toile, puis rassemble lentement ses muscles pour mieux, d'un seul coup, s'abattre[196]

---

192. Dépasser les bornes (expr.): *Exagérer.*
193. Maillet (n.m.): *Marteau.*
194. Perruque (n.f.): *Coiffure de faux cheveux.*
195. À l'affût: *Caché, prêt à attaquer.*
196. S'abattre (v.): *Se jeter.*

sur sa prise. Au passage, il jette un regard froid à l'accusé, tassé sur son siège, et s'installe lentement à la barre.

— Sire Deslerot, lance le président du tribunal, veuillez nous exposer les grandes lignes de votre enquête.

Le lieutenant général considère[197] une dernière fois Matthieu Sçavart, puis il se retourne vers les juges. Ses lèvres dessinent un mince sourire.

— Nous avons d'abord été avertis[198] par les familles de la région. Depuis quelques mois, des jeunes gens, garçons ou filles, souvent des simples d'esprit, disparaissaient ici ou là dans la province. Nous étions alors en l'an de grâce 1697. Au début de l'automne, pour être plus précis.

— N'y avait-il pas eu auparavant de disparition du même genre, Lieutenant?

Deslerot fixe un instant le président du tribunal. Il s'attendait à la question, mais ne sait malgré tout que répondre. Il détourne rapidement les yeux et se met à contempler le sol, comme en quête d'une preuve matérielle[199].

— D'autres crimes avant cette date? finit-il par lancer, reformulant à sa manière la question du juge. Voilà qui est difficile à dire! En particulier pour ce qui concerne les idiots. Les gens ne s'intéressent à eux que lorsqu'ils leur trouvent quelque chose à faire. Ce qui n'est pas toujours le cas. Alors, quand une bouche

---

197. Considérer (v.): *Ici, regarder.*
198. Avertis (adj.): *Prévenus.*
199. Matérielle (adj.): *Concrète.*

inutile disparaît, on ne s'en préoccupe guère[200]. Il se peut donc que d'autres malheureux aient péri[201] sans que la police en soit prévenue. Et cela, avant l'automne 1697 tout aussi bien qu'après. Une chose est sûre néanmoins : c'est à cette époque que l'affaire est devenue inquiétante. Pas un village qui, en l'espace de quelques années, n'ait eu à déplorer[202] une, ou même plusieurs disparitions.

– Le phénomène a donc été particulièrement brusque ?...

– Pas exactement, votre Grâce ! On aurait plutôt dit une épidémie[203] qui progressait de proche en proche.

– Et dans quel sens cette maladie se déplaçait-elle, mon bon sire[204] ? demande soudain Marc du Faulnay.

– D'est en ouest, monsieur le Conseiller. Sur ce point, je suis catégorique[205].

– D'est en ouest, reprend le procureur d'un air songeur. Tiens donc !... Tout comme notre cher maître Sçavart...

– Mais que racontaient les plaignants[206] lorsqu'ils venaient signaler une disparition ? intervient le pré-

---

200. Guère (adv.) : *Pas beaucoup.*
201. Périr (v.) : *Mourir.*
202. Déplorer (v.) : *Regretter fortement.*
203. Épidémie (n.f.) : *Quand une maladie se transmet à beaucoup de personnes.*
204. Mon bon sire : *Formule respectueuse pour s'adresser à quelqu'un.*
205. Catégorique (adj.) : *Qui n'a pas de doute.*
206. Plaignant (n.m.) : *Quelqu'un qui porte plainte.*

sident du tribunal. Le vieil homme est fatigué de voir l'accusé et les témoins constamment interrompus par le représentant du roi. Mais Marc du Faulnay est un homme puissant. Il serait maladroit de lui adresser le moindre reproche[207].

– Eh bien! répond Nicolas Deslerot, l'air embarrassé… Nous sommes en terre de superstition[208], votre Grâce. Et il faut dire qu'au moment de leur disparition toutes les victimes avaient à peu près le même âge. Ils comptaient une vingtaine d'années. Bref! Les gens parlaient plutôt de… *changelins*.

– Des *changelins*? demandent d'une seule voix les trois juges, sans comprendre.

– Des enfants de l'autre monde, des garnements[209] que les fées ou leurs époux font élever par nos paysans. Sitôt qu'un bébé naît avec une infirmité[210] quelconque, les gens d'ici se croient victimes de ce genre d'échange. Leur cher petit a été enlevé et remplacé par une créature fantastique. Vous comprendrez que les *changelins*, en fait, on ne les aime guère. Et les pauvrets s'en trouvent si malheureux qu'arrivés à l'âge adulte, ils n'ont bientôt qu'une envie: retrouver leur famille d'origine… Enfin, je vous dis cela, mais c'est ce qu'on raconte dans nos campagnes!

---

207. Adresser un reproche: *Faire une critique.*
208. Superstition (n.f.): *Croyance au surnaturel.*
209. Garnement (n.m.): *Enfant insupportable.*
210. Infirmité (n.f.): *Handicap.*

Sur ces mots, Nicolas Deslerot éclate d'un rire féroce[211] qui lui découvre largement les dents et révèle la présence de canines[212] pointues comme des crocs[213].

«En un mot, ils voulaient que mes hommes et moi, ajoute-t-il, nous allions tirer les oreilles[214] à ces dames les fées!»

La gaieté du policier se communique à l'assistance. Magistrats, gendarmes et greffiers, tous s'esclaffent[215] bruyamment. Seul, Matthieu Sçavart ne rit pas.

– Allons, un peu de sérieux, Lieutenant, lance le président du tribunal, le premier à retrouver son calme. Dites-nous plutôt comment vous avez poursuivi l'enquête.

Nicolas Deslerot contemple un instant l'accusé avec une expression de mépris[216]. Puis il reprend son récit.

– Ah, ça! On peut dire que la tâche[217] n'a pas été facile. Nous n'avions aucune indication, pas de traces, ni même de cadavre. Chaque fois qu'on nous signalait une disparition, nous menions des recherches à travers

---

211. Féroce (adj.): *Cruel.*
212. Canine (n.f.): *Dent pointue.*
213. Croc (n.m.): *Dent d'un animal (loup, tigre, lion…).*
214. Tirer les oreilles (expr.): *Punir, réprimander, faire des reproches.*
215. S'esclaffer (v.): *Éclater de rire.*
216. Mépris (n.m.): *Sentiment par lequel on juge une personne inférieure, indigne d'admiration (contraire d'«admiration»).*
217. Tâche (n.f.): *Travail, chose à faire.*

la campagne. Mais cela ne durait que quelques jours. Bientôt, il fallait abandonner. Tout a changé lorsqu'on a retrouvé le corps d'Aurélie. Cette fois, je me suis rendu avec une poignée[218] d'hommes sur les lieux du crime. Puis nous avons continué un peu plus à l'ouest, du côté de Sainte-Ménerande, et là, nous avons concentré notre attention sur le gros Louis, le simple d'esprit du village. Ce brave garçon a fini par nous mener tout droit sur les lieux du sabbat…

– Matthieu Sçavart y était-il déjà ?…

– Ça, on ne peut pas l'affirmer, reconnaît le policier avec une moue[219] de regret. Mais il ne devait pas être bien loin, c'est sûr. Toujours à manipuler[220] ses cordes et ses perches ! Pour prendre des mesures, soi-disant… Pensez donc ! En pleine nuit !

Les magistrats hochent la tête. Le malheureux arpenteur sent que son destin, dès à présent, est scellé[221]. Il veut se défendre malgré tout. Le voilà qui se lève et pousse un pauvre cri. Mais le président du tribunal le foudroie[222] du regard et fait signe à Deslerot de poursuivre.

– Bref, nous avons vu le gros Louis s'enfoncer dans la terre et pour ainsi dire disparaître sous nos yeux. Nous

---

218. Une poignée de (expr.) : *Ici, quelques.*
219. Moue (n.f.) : *Grimace, déformation du visage.*
220. Manipuler (v.) : *Manier, utiliser.*
221. Son destin est scellé : *Son destin est décidé et ne peut plus être changé.*
222. Foudroyer du regard : *Jeter un regard très dur et en colère.*

nous sommes aussitôt lancés à sa suite. Et c'est là que nous avons trouvé la grande chambre souterraine et tout à côté une seconde pièce, un véritable ossuaire[223], tout plein de ces drôles de dépouilles.

– Décrivez au tribunal l'état dans lequel vous avez trouvé ces restes humains, Lieutenant !

– C'était chose vraiment étrange, votre Grâce. On aurait dit le résultat d'une mue. N'avez-vous jamais observé l'enveloppe qu'abandonne un criquet[224] après sa métamorphose ? Non ? Ah ! Vous devriez voir cela… L'insecte laisse une forme à son exacte ressemblance, mais creuse, transparente, fragile. Une sorte d'étui[225] qui reste accroché à son brin d'herbe ! Eh bien ! Dans le souterrain, c'était pareil. Sauf bien sûr que, cette fois, il s'agissait d'hommes et de femmes !

– Tous les cadavres étaient-ils dans ce même état ?

– Non, Excellence. Certains, qui paraissaient très anciens, ressemblaient plutôt à des chrysalides[226].

– Décidément, vous voilà vous aussi à nous parler d'insectes ! ricane[227] le procureur du roi. Et selon vous, comment expliquer ce prodige[228] ?

---

223. Ossuaire (n.m.) : *Lieu où sont conservés des os humains.*
224. Criquet (n.m.) : *Insecte.*
225. Étui (n.m.) : *Sorte de boîte ou d'enveloppe adaptée à la forme de l'objet qu'elle contient.*
226. Chrysalide (n.f.) : *Étape de la transformation d'une chenille en papillon.*
227. Ricaner (v.) : *Rire avec mépris ou en se moquant.*
228. Prodige (n.m.) : *Chose extraordinaire, surnaturelle.*

Le lieutenant de police sourit à nouveau de toutes ses dents.

— Les araignées vident ainsi le corps de leurs proies. L'assassin a sans doute trouvé le moyen de faire comme elles.

— Et sinon? Peut-on songer à un envoûtement[229] satanique? demande le troisième magistrat, comme tiré soudain du sommeil. En s'avançant légèrement pour prendre la parole, le gros homme a placé son visage en pleine lumière. Sa tonsure décrit un cercle presque parfait. Un long pli barre la peau du crâne ainsi mise à nu. C'est là l'unique marque d'émotion visible chez l'homme d'Église, le seul signe de l'intérêt qu'il vient de prendre à l'affaire.

— Le diable n'est pas de ma juridiction[230], mon Père, répond Nicolas Deslerot. Mais, pour tout dire, je ne vois guère d'autre explication. D'autant que pour Aurélie, la chose était plus étrange encore…

— Oui, intervient le président du tribunal, dans ce cas, on a retrouvé un… «vrai» cadavre, c'est bien cela, Lieutenant?

— En vérité, votre Grâce, les choses sont un peu plus compliquées. On a bien découvert son corps dans la forêt. Mais…

---

229. Envoûtement (n.m.): *Ensorcellement, sortilège, maléfice.*
230. Juridiction (n.f.): *Domaine où on peut rendre la justice. Ici, cela signifie qu'il n'est pas spécialiste du diable.*

Pour la seconde fois le lieutenant général semble hésiter. Il jette un coup d'œil à Matthieu Sçavart, comme à la recherche d'une explication. Puis il finit par poursuivre.

« ... Mais dans l'ossuaire, il y avait également la forme de la malheureuse, sa mue si vous préférez. Bref, nous avions deux Aurélie. Et je ne vois pas qui d'autre, sinon le diable, aurait pu accomplir pareil ouvrage... »

Un frémissement[231] parcourt le tribunal. Le malheureux arpenteur a ressorti son bonnet. Et le voilà qui en torture à nouveau le feutre vert. Des brins[232] de laine s'échappent de ses grosses mains qui tordent, étirent, déchirent l'étoffe. Certains d'entre eux s'accrochent à la lourde chevalière[233] d'or qui par instants brille à l'un de ses doigts. Ah cette bague ! Nicolas Deslerot est-il le seul à avoir remarqué qu'elle s'orne de deux cerfs aux ramures entrecroisées ?

---

231. Frémissement (n.m.) : *Mouvement léger de vibration.*
232. Brin (n.m.) : *Petit fil.*
233. Chevalière (n.f.) : *Grosse bague, souvent avec un motif décoratif.*

3

Certains m'appellent Cernunnos. Mais pour la plupart je n'ai pas de nom. Lorsque nos parents ont partagé leurs biens[234], ils ont donné la lumière à Lug, mon plus jeune frère. Et c'est moi qui ai reçu l'ombre en héritage. Taranis, le cadet[235], s'est vu attribuer[236] le tonnerre, les vents et même les oiseaux. En un mot : toute la musique des airs. Moi, je n'ai eu que le silence. Et c'est peu dire que ce silence me pèse. Épona, ma sœur, a obtenu l'espace du matin, lorsque le soleil se lève et qu'il faut l'aider à conquérir[237] la terre. On m'a confié[238] le mystère des profondeurs et les secrets de la nuit.

Après tout, il s'agit là d'un beau rôle. Je ne devrais pas me plaindre. Car j'assiste à la formation des êtres et des choses. C'est moi qui souffle sur les racines des arbres, sur

---

234. Biens (n.m. pl.) : *Ce qui appartient à quelqu'un.*
235. Cadet (n.m.) : *Deuxième enfant.*
236. Attribuer (v.) : *Donner.*
237. Conquérir (v.) : *Soumettre par la force.*
238. Confier (v.) : *Ici, donner à la garde, remettre.*

les graines cachées dans le sol; c'est moi qui, au printemps, tire les bêtes de leur sommeil et leur révèle la joie de vivre.

Mais c'est moi aussi qui, lorsque vient l'automne, endors la nature. Quelle tristesse, dans ces moments-là! Une tristesse, toutefois, que je compense[239] à ma façon. Tenez! L'or qu'on trouve un peu partout dans mon palais... Eh bien! j'ai eu l'idée d'en recouvrir[240] les feuilles. Cela me coûte si peu! J'y ajoute du cuivre[241], et même du fer que l'eau des pluies fait lentement rouiller. Ainsi les forêts et les bois, jusqu'au moindre buisson, tout prend l'apparence d'un incendie!

Voilà qui me plaît. Le feu adoucit le chagrin, comme si les métaux fondus, déposés sur les plantes, constituaient un remède[242] contre la mort. Bien mieux, mon initiative fait naître un peu de joie. Grâce à elle, j'ai réussi à convaincre mes cousins les cerfs de choisir l'automne comme saison des amours. C'est à peu près le seul moment où mon palais souterrain résonne d'autres sons que ceux de mes pas. J'aime la musique mélancolique du brame, lorsque les grands mâles appellent leurs amies les biches. En retardant chez eux la montée du désir, j'ai sans doute mêlé à leur bonheur un peu de tristesse. Ils doivent penser que je rapproche un peu trop les images de mort et de vie. Mais n'est-ce pas là le secret même de la beauté? Découvrir que tout est provisoire et

---

239. Compenser (v.): *Équilibrer, neutraliser.*
240. Recouvrir (v.): *Couvrir complètement.*
241. Cuivre (n.m.): *Métal de couleur rouge.*
242. Remède (n.m.): *Médicament.*

cependant ne ménager[243] aucune de nos forces pour vivre pleinement ce temps qui nous échappe ?

Une chose est sûre en tout cas. En cette époque de l'année, j'aime sortir de ma cachette pour aller courir avec les cerfs. Qui s'en étonnera ? Nul n'ignore en effet que je porte une ramure à rendre jaloux les plus vieux, les plus nobles d'entre eux. Je joue même parfois à me battre en duel[244] avec un jeune mâle, pour lui montrer que, malgré mon âge, je conserve encore en moi assez de force. Je gagne toujours. Évidemment, je ne réclame[245] jamais le prix de ma victoire. Je laisse à chaque fois la biche au vaincu[246]. C'est bien pour cela, je crois, que les cerfs me considèrent comme leur dieu.

Mais j'ai parlé d'or... Je suis en effet le maître des richesses souterraines. On croit souvent que c'est Lug qui cuit les épis[247] et mûrit les fruits. À lui seul néanmoins, mon cher frère n'obtiendrait aucun résultat. Ah ! Si je n'étais pas là pour faire germer[248] les graines ! Si personne n'aidait les tiges[249] à monter, les feuilles à pousser, les fleurs à s'épanouir en y faisant monter la bonne sève[250] des mois fertiles !

---

243. Ménager (v.) : *Économiser, utiliser avec mesure.*
244. Duel (n.m.) : *Combat entre deux personnes.*
245. Réclamer (v.) : *Demander, exiger.*
246. Vaincu (n.m.) : *Celui qui a perdu.*
247. Épi (n.m.) : *Partie de certaines plantes où sont réunies les graines (épi de blé, de maïs).*
248. Germer (v.) : *Commencer à se développer.*
249. Tige (n.f.) : *Partie allongée d'une plante qui porte les feuilles.*
250. Sève (n.f.) : *Liquide qui circule dans les plantes et les nourrit.*

N'est-ce pas pour cela que je suis également le dieu des morts ? Car, avant de renaître à une existence nouvelle, ceux qu'on met en terre subissent, comme les plantes, d'étranges transformations. Je surveille leur développement, j'accompagne leur vie souterraine, puis je les guide dans le monde du Grand Secret.

On comprend que j'aie pu finir, moi l'obscur, le Sans Nom, par avoir des fidèles[251]. Au milieu de l'été, un petit peuple d'insectes volants et bourdonnants se presse nuit et jour autour de moi. Ce sont des créatures étranges. Elles prétendent être des « fées », et pourtant les humains les fascinent[252]. Elles abandonnent régulièrement parmi eux leurs enfants et les remplacent par d'autres qu'elles volent aux paysans. Ne me demandez pas pourquoi ! Et encore moins comment les uns rétrécissent[253], et les autres grossissent en taille et en volume. Cela fait partie de leurs secrets.

Je sais une chose en revanche : lorsqu'ils célèbrent leurs vingt ans, les enfants de fées retournent chez leurs parents. Mais ils doivent auparavant subir une lente métamorphose. Et c'est là que j'interviens.

Il est une chambre de mon palais que ces jeunes gens connaissent plus que tout autre. Ils y viennent en automne, une fois célébrée la grande fête du cerf, dont vous devinez qu'elle est aussi la mienne. Après avoir dansé, ri et bu

---

251. Fidèle (n.m.) : *Croyant, adepte d'une religion.*
252. Fasciner (v.) : *Attirer l'attention, intéresser beaucoup.*
253. Rétrécir (v.) : *Devenir plus petit.*

plus que de raison[254], *ils s'allongent pour un sommeil de vingt-sept jours. Et pendant tout ce temps, peu à peu, ils se transforment. Si vous les surpreniez au réveil, vous pourriez croire qu'ils n'ont pas beaucoup changé. Mais ne vous fiez*[255] *pas aux apparences! Car désormais un peu de mon esprit est en eux. Ils sont, comme mes frères les cerfs, comme mes sœurs les biches, prêts à affronter les dangers de la forêt. Plus tard, mais il faudra des mois pour cela, des années parfois, ils pourront rejoindre leur peuple.*

J'aime bien ces jeunes camarades. Ils ne m'offrent néanmoins qu'une compagnie temporaire[256]. *Ils dorment si longtemps qu'à les contempler en silence j'éprouve*[257] *toujours un peu de chagrin. Eux finiront par retrouver leur famille, leurs parents. Ils ne seront pas, comme moi, emprisonnés des mois durant dans l'ombre.*

Car l'hiver, il m'est interdit de quitter mon palais. Je dois soigner les plantes et les êtres du sous-sol. Préparer la venue du printemps! Ah! Lorsqu'enfin les premiers bourgeons[258] *apparaissent… Je sors avant l'aube*[259], *dès que le ciel commence à s'éclaircir. Je cours dans la forêt, souvent en compagnie d'Épona. Ma petite sœur adore enfoncer ses doigts*

---

254. Plus que de raison : *De manière exagérée, excessive.*
255. Se fier (v.) : *Faire confiance.*
256. Temporaire (adj.) : *Qui ne dure pas toujours.*
257. Éprouver (v.) : *Ressentir.*
258. Bourgeon (n.m.) : *Bouton des plantes qui ensuite se développe en feuille, en branche ou en fleur.*
259. Aube (n.f.) : *Moment de la journée où le soleil se lève.*

dans mon épaisse toison[260] ou emmêler mes cornes dans les ronces[261]. Enfin, quand nous sommes épuisés, nous courons jusqu'à la source. Et là, nous nous roulons dans l'herbe, nous buvons en nous éclaboussant – cela, dans de grands éclats de rire.

Mais avant ces instants de joie, il faut traverser l'hiver, préparer avec soin le retour du printemps. Alors, pour tromper ma solitude, j'ai fini par avoir une idée. J'ai tant d'or! Il suffit d'en donner un peu, si peu, pour qu'on accepte de me tenir compagnie. Je ne choisis pas n'importe qui pour autant. J'aime les gens qui content des histoires. Les musiciens aussi, quand j'en trouve, mais c'est rare! Ils m'accordent une heure ou deux de leur temps, tandis que je leur glisse dans la main quelques débris[262] de ce métal qu'ils semblent tant aimer. Savent-ils seulement que je donnerais tout mon or pour n'être jamais seul?

---

260. Toison (n.f.): *Laine, poils d'un animal.*
261. Ronce (n.f.): *Plante à épines.*
262. Débris (n.m.): *Fragment.*

4

Le président Ravier reste un instant songeur tandis que Nicolas Deslerot quitte à longues enjambées[263] la salle du parlement. Pas un instant, le lieutenant général n'a paru laisser à Sçavart la moindre chance de salut[264]. Mais pas un instant non plus, il n'a su expliquer le comportement de l'accusé, ni même donner la plus petite preuve de sa culpabilité. Pour autant, l'issue du procès ne fait guère de doute. Le procureur du roi sera sans pitié. Quant au troisième magistrat, le bon Père Mainteneau, il ne sera pas plus indulgent[265]. La présence d'un homme d'Église est obligatoire, dès lors qu'une affaire comporte des aspects sataniques. Et, sous son apparence tranquille, le gros moine[266] qu'a choisi l'Évêque[267] de Toul est un

---

263. Enjambée (n.f.) : *Grand pas.*
264. Salut (n.m.) : *Ici, fait d'être sauvé.*
265. Indulgent (adj.) : *Qui pardonne facilement.*
266. Moine (n.m.) : *Religieux qui vit dans un monastère.*
267. Évêque (n.m.) : *Religieux qui a la direction spirituelle d'un territoire particulier (diocèse).*

vrai dominicain[268]. On le dit toujours prêt à en appeler à l'Inquisition[269] et à ses foudres.

Reste à savoir si l'arpenteur est vraiment innocent… Pourquoi s'abrite-t-il derrière des explications invraisemblables[270] ? S'il n'avait rien à se reprocher, il exposerait les faits en toute simplicité… Mais précisément, peut-être s'agit-il d'événements qu'on ne saurait rapporter en se limitant aux lois de la nature ?

Le président Ravier soupire. Qu'il est difficile parfois de rendre la justice ! Il rajuste légèrement sa perruque et d'un coup de maillet signale à l'huissier qu'il est prêt à entendre un nouveau témoin.

– Sire Jacquier Guérin, Grand Veneur[271] du Duc de B***, est appelé à la barre ! lance aussitôt le fonctionnaire, en ouvrant grand les portes du tribunal.

L'homme qui pénètre dans la pièce est tout l'inverse du lieutenant de police. Petit, râblé[272], il s'agite en tous sens. On dirait un sanglier que le moindre bruit énerve. Il arrive en soufflant, en grognant même, et

---

268. Dominicain (n.m.) : *Qui appartient à l'ordre religieux de saint Dominique.*
269. Inquisition (n.f.) : *Entre le XIIIe et le XVIIIe siècle, tribunal de l'Église catholique chargé de poursuivre ceux qui ne respectent pas la loi catholique.*
270. Invraisemblables (adj.) : *Impossibles à croire.*
271. Grand Veneur : *Officier chargé d'organiser la chasse pour un roi, un prince ou un noble.*
272. Râblé (adj.) : *Plutôt petit et large d'épaules.*

vient presque cogner contre la barre avant d'y poser de grosses mains velues[273].

– Sire Guérin, lui demande le président Ravier une fois que le témoin semble s'être enfin installé, racontez-nous comment vous avez découvert le corps sans vie d'Aurélie Ménage, bergère des Ambiaux, le 30 octobre 1711…

– Oui, Excellence ! C'était durant la première chasse de l'automne. Nous étions un samedi et Monseigneur le Duc avait convié[274] une grande foule au château. Ses invités avaient mangé, bu et dansé une partie de la nuit. Il avait fallu bien du temps à mes hommes pour parvenir à les rassembler. Moi, j'étais levé depuis belle lurette[275], puisque j'avais dû aller faire le bois.

– Faire le bois ? Que voulez-vous dire, Guérin ?

– C'est ainsi qu'on nomme, Excellence, les préparatifs d'une chasse à courre[276]. On part très tôt le matin, avec un seul chien. Mais l'on choisit une bête à l'odorat[277] particulièrement sensible. On parcourt la forêt jusqu'à ce que l'animal, dans le plus grand silence, tire un peu sur sa laisse[278] en direction d'un buisson. C'est qu'il a trouvé l'endroit où le cerf est allé se cacher après avoir couru

---

273. Velues (adj.) : *Très poilues.*
274. Convier (v.) : *Inviter.*
275. Depuis belle lurette (expr.) : *Depuis bien longtemps.*
276. Chasse à courre : *Chasse pratiquée à cheval, avec des chiens.*
277. Odorat (n.m.) : *Sens qui permet de percevoir les odeurs.*
278. Laisse (n.f.) : *Lien qui permet de retenir un chien.*

ici ou là en compagnie de ses semblables[279]. Le veneur examine alors les traces laissées sur le sol. Il observe avec un soin tout particulier ces… hum! ces excréments[280] que l'on appelle « fumées ». S'il est convaincu que la proie est toujours là et qu'il s'agit bien d'un mâle, alors il casse une branche pour repérer l'endroit. C'est ce qui s'appelle « faire une brisée ». Sans avoir l'air de rien, il poussera la meute[281] vers ce coin du bois quand la chasse commencera.

– Et lors de cette première expédition, vous n'avez rien remarqué d'anormal ? Il n'y avait pas de cadavre ?

– Pour ça ! J'en suis sûr, votre Grâce. Voyez-vous, un veneur qui fait son bois ne se contente pas d'observer les restes abandonnés par l'animal. Avec son chien, il contourne les buissons pour vérifier que la bête ne peut ressortir par une autre issue[282]. C'est ce que j'ai fait, bien sûr. Et je peux vous jurer[283] qu'il n'y avait alors pas plus d'Aurélie que de grenouilles dans votre perruque… Sauf votre respect, Excellence !

Un rire contenu[284] parcourt la maigre assistance[285]. Le président du tribunal esquisse un bref sourire et, d'un geste, prie[286] le témoin de poursuivre.

---

279. Ses semblables : *Ici, d'autres cerfs.*
280. Excrément (n.m.) : *Matière évacuée du corps par les voies naturelles.*
281. Meute (n.f.) : *Groupe de chiens dressés pour la chasse à courre.*
282. Issue (n.f.) : *Sortie.*
283. Jurer (v.) : *Promettre, affirmer par serment.*
284. Contenu (adj.) : *Retenu.*
285. Assistance (n.f.) : *Public.*
286. Prier (v.) : *Ici, demander.*

« Donc, je suis revenu au château, continue Jacquier. Et j'ai attendu que ces dames et seigneurs se mettent en ordre de marche. Puis j'ai donné le signal du départ. Mes hommes me suivaient. Nous encadrions la meute pour la conduire à proximité de ma brisée. Nous n'en étions plus qu'à deux pas quand, tout à coup, elle a surgi…

– Elle, Guérin ? Mais de qui donc nous parlez-vous…

– Ben… de… de la biche, Excellence, répond le témoin en baissant les yeux.

– Je croyais que l'on ne chassait que les mâles ?

– C'est que… Je n'ai pas compris sur-le-champ qu'il s'agissait d'une femelle. Depuis le début, je pensais avoir affaire à un jeune cerf. Les « fumées » que j'avais observées en faisant le bois me poussaient à le croire. J'ai dû être trompé par leur forme et leur odeur. Et quand j'ai réalisé mon erreur, il était trop tard. Les chiens avaient pris la bête en chasse. J'ai donc fait signe à mes hommes de les poursuivre. Mais pour vous dire le fond de mes pensées, je ne songeais qu'à une chose : l'explication que j'allais devoir fournir[287] à mon maître. Monseigneur le Duc déteste qu'on s'en prenne aux biches. À son goût, elles se fatiguent trop vite. »

« Par chance, celle-là était particulièrement résistante. Et rusée[288] ! C'était à n'y pas croire. Elle avait l'art

---

287. Fournir (v.) : *Donner.*
288. Rusée (adj.) : *Habile, intelligente.*

de changer brusquement de route, de sauter par-dessus les fourrés. Elle savait mieux qu'aucune autre utiliser le terrain à son avantage. Elle courait dans le moindre ruisseau[289] pour faire perdre sa trace aux chiens. Ah, ça !… On peut dire qu'elle nous a menés selon ses caprices[290] ! Les dames étaient toutes réchauffées à galoper derrière elle, et mon maître était aux anges[291] de les voir ainsi gaies et roses. »

« À force de nous faire tourner et virer[292], la biche a rejoint l'endroit d'où elle était sortie. Elle s'est enfoncée dans les taillis[293], bientôt suivie par la meute. Entre les arbres et les branches, j'ai vu Pluton, le plus intrépide[294] de mes chiens, qui lui sautait à la gorge. Au premier aboiement, j'ai pris ma trompe[295] et sonné l'hallali[296]. Mes hommes ont fait de même. Mais tout notre beau vacarme ne parvenait pas à couvrir les bruits de la meute. Les piqueurs[297] se sont mis en place autour des buissons, prêts à avancer et à achever l'animal. C'est

---

289. Ruisseau (n.m.): *Petite rivière.*
290. Caprice (n.m.): *Désir, envie changeante.*
291. Être aux anges (expr.): *Être très heureux.*
292. Virer (v.): *Faire un virage.*
293. Taillis (n.m.): *Forêt basse faite de buissons, de hautes herbes.*
294. Intrépide (adj.): *Qui n'a pas peur du danger.*
295. Trompe (n.f.): *Ici, instrument de musique dans lequel on souffle.*
296. Hallali (n.f.): *Cri ou sonnerie de chasse pour annoncer que l'animal va bientôt mourir.*
297. Piqueur (n.m.): *Dans une chasse à courre, celui qui guide les chiens.*

alors que dans le concert des chiens, j'ai perçu une note anormale. J'y devinais comme une angoisse sourde. J'ai fait taire la sonnerie des trompes pour mieux entendre ce qui se passait. Puis, presque aussitôt, j'ai mis pied à terre. Je me suis enfoncé dans les buissons. »

« Je ne sais par quelle ruse cette maudite biche avait réussi à nous échapper. Elle avait quitté sa cachette. À sa place, il y avait une jeune fille, étendue dans les herbes, entièrement nue, la gorge déchirée et baignant dans son sang. Elle était morte, évidemment... »

– Nous avons lu le rapport de police ! intervient le président Ravier. Le vieil homme n'a nulle envie de revivre la scène. Mais par-dessus tout, et depuis le début du procès, il lui semble nécessaire de distinguer ce crime de tous les autres. Qui sait si une fois la biche enfuie, les chiens ne se sont pas rabattus[298] sur la pauvre Aurélie ?

« Sire Guérin, poursuit le magistrat, il nous serait utile de savoir si ces blessures ont pu être causées par vos bêtes. Car les descriptions qu'en donnent les observateurs pourraient fort bien le laisser croire. »

Le grand veneur pose la main sur son cœur et proteste avec énergie.

– Penser pareille chose, votre Grâce, c'est bien peu connaître les particularités de la meute. Nos chiens sont habitués à poursuivre une proie et une seule. Ceux

---

298. Se rabattre (v.) : *Choisir quelque chose parce qu'il n'y a pas mieux.*

qui courent le cerf n'ont rien de commun avec ceux qui chassent le lièvre ou le sanglier. Et puis, aucune de mes bêtes n'aurait touché à un être humain! À plus forte raison à une jeune fille! Qui donc, en outre[299], l'aurait déshabillée de la sorte, la petite? Est-ce là le travail d'un animal? Enfin… Il y a l'arpenteur, le dénommé[300]… Sçavart! Il est arrivé comme un fou sur les lieux du crime. Il m'a pris à la gorge comme s'il voulait m'étrangler[301]. Puis remarquant que je n'étais pas seul, il s'est enfui à travers bois. Il était en pleine crise de folie, c'est sûr!

Le président Ravier reste un moment songeur. D'un geste de la main, il semble chasser de son esprit l'idée qu'il a un temps suivie. De toute évidence, Jacquier Guérin est un brave homme. On ne peut le suspecter de mensonge. Haussant[302] les épaules, le magistrat renvoie le témoin et appelle une nouvelle fois l'accusé à la barre.

– Matthieu Sçavart, lance-t-il après s'être éclairci la voix, vous venez d'entendre la déposition[303] du

---

299. En outre (loc.): *De plus, en plus.*
300. Dénommé (adj.): *Qu'on appelle.*
301. Étrangler (v.): *Serrer très fort à la gorge, généralement pour tuer.*
302. Hausser les épaules (expr.): *Lever légèrement les épaules pour montrer son mépris ou son indifférence.*
303. Déposition (n.f.): *Témoignage, déclaration devant un tribunal.*

Grand Veneur. Souhaitez-vous corriger ou compléter ses propos?

— Ce sont bien les chiens qui l'ont tuée, votre Grâce, gémit l'arpenteur. Ils l'auront confondue avec une biche.

Le procureur du roi se dresse et, agitant ses larges manches[304], lève les bras au ciel:

— Prétendez-vous que la meute du Duc ait la vue si basse[305], le nez si grossier qu'elle ne sache distinguer une pure jeune fille d'un animal?

— Je crois ce que j'ai vu, monsieur le Conseiller, réplique Matthieu Sçavart. Après son séjour dans les souterrains, Aurélie n'était plus une demoiselle comme les autres.

— Expliquez-vous, mon ami! laisse échapper le président Ravier. Sa voix emprunte à nouveaux ces accents paternels, tout à la fois tendres et attristés. Sans doute a-t-il déjà deviné dans ses grandes lignes l'histoire que va conter Matthieu Sçavart. Et s'il est prêt à la croire, il sait également que les autres n'y verront qu'une fable[306], ou même un mensonge.

— Comme je vous l'ai dit, répond l'arpenteur, j'ai trouvé dans la grande salle du trône la couronne de fleurs d'Aurélie. Et dès cet instant j'ai pensé que la pauvre fille était morte, que le palais sous terre était la

---

304. Manche (n.f.): *Bras d'un vêtement.*
305. Avoir la vue basse (expr.): *Ne pas bien voir.*
306. Fable (n.f.): *Histoire inventée.*

résidence d'une sorte d'ogre[307] ou de Barbe-bleue[308] et que ce monstre l'avait tuée…

« Vous devinez ma surprise lorsqu'un mois à peine après la disparition de la petite, voilà que je la croise au milieu de la forêt. Elle avait beau[309] avoir changé et se promener toute nue, c'était elle, cela ne faisait aucun doute… »

– En quoi vous paraissait-elle changée, maître Sçavart ?

– C'est bien difficile à expliquer, votre Grâce… Disons qu'elle avait perdu cet air absent, un peu niais[310] qu'elle montrait autrefois. J'avais l'impression qu'elle avait retrouvé son esprit. Elle était plus attentive au monde autour d'elle. En même temps, elle adoptait un air, des attitudes qui semblaient ne plus être tout à fait humaines.

« Elle était agenouillée[311] près de la fontaine. La tête penchée au ras de l'eau, elle buvait en donnant de brefs coups de langue. On aurait dit qu'elle lapait[312], votre Grâce, et cela en jetant de temps en temps de grands éclats de rire. On voyait danser autour d'elle plusieurs de ces… de ces petits êtres que vous tenez pour des insectes. »

---

307. Ogre (n.m.) : *Dans les contes, géant qui mange des humains.*
308. Barbe-bleue : *Personnage de conte qui tuait ses femmes.*
309. Avoir beau (loc.) : *Se donner du mal pour rien.*
310. Niais (adj.) : *Idiot, stupide.*
311. Agenouillée (adj.) : *À genoux.*
312. Laper (v.) : *Boire à coups de langue.*

« Je suis resté un moment sans bouger. J'étais, je l'avoue, sous le charme du spectacle. Puis j'ai voulu m'approcher. Mais j'ai fait craquer une brindille[313] et les libellules se sont enfuies. Aurélie s'est redressée. La tête étrangement mobile, elle scrutait[314] les sous-bois dans toutes les directions. Je me suis caché derrière un grand chêne et j'ai retenu mon souffle. »

« Presque aussitôt, la petite s'est calmée. Ou plus exactement, elle a cessé de s'inquiéter. Un jeune cerf venait d'arriver. Il avançait lentement, d'une démarche[315] souple et dansante. Aurélie s'est levée d'un bond et est venue à sa rencontre. Elle a lui caressé le dos, le crâne puis le bout du museau. Ensuite, elle l'a pris par le cou, comme dans un élan de tendresse, et elle s'est mise à emmêler des fleurs et des racines autour de ses bois[316]. Tout en jouant de la sorte, elle lui parlait doucement. À l'entendre, on aurait pu croire qu'elle s'adressait à un être humain. »

« Le cerf s'est laissé faire. Au bout d'un moment toutefois, il s'est mis à donner des signes d'impatience. Il cherchait à faire comprendre à sa compagne qu'il préférait courir dans la forêt. Aurélie l'a regardé en souriant, et tous deux se sont élancés, côte à côte. »

« J'ai tenté de les suivre. Mais ils allaient si vite ! Au bout de quelques minutes, ils m'avaient distancé…

---

313. Brindille (n.f.) : *Petite herbe sèche ou petite branche.*
314. Scruter (v.) : *Regarder avec attention.*
315. Démarche (n.f.) : *Manière de marcher.*
316. Bois (n.m.) : *Ici, cornes du cerf.*

On n'apercevait que leur silhouette entre les arbres ou dans l'enchevêtrement[317] des buissons.

« L'espace d'un éclair, je les ai distingués de façon plus précise. Mais je n'ai pas réalisé tout de suite qu'un changement s'était produit. Il m'a fallu du temps pour prendre conscience du phénomène : je ne suivais plus un cerf accompagné d'une jeune fille, mais une biche blonde qui se pressait contre la longue silhouette du Grand Sec… »

– Le Grand Sec ? rugit Marc du Faulnay. Qu'est-ce donc encore que cela, Sçavart ?

– Oh, un simple d'esprit, monsieur le Conseiller ! Un garçon doux comme un mouton. Il avait disparu de Trinxhe, le village voisin, depuis un peu plus d'un an.

« J'ai bien cru qu'il s'agissait d'une hallucination[318]. Je me suis frotté les yeux à deux ou trois reprises. Et quand je les ai rouverts, j'étais seul au milieu des bois. »

« L'impression avait été si forte, toutefois, que j'ai voulu en avoir le cœur net[319]. Pendant plusieurs jours, j'ai suivi toutes les traces de cerfs ou de biches, mais aussi les rares empreintes[320] humaines que je pouvais rencontrer. Il a bien fallu me rendre à l'évidence[321]. Si

---

317. Enchevêtrement (n.m.) : *Fait d'être mêlés étroitement.*
318. Hallucination (n.f.) : *Fait de voir ou entendre quelque chose qui n'existe pas.*
319. En avoir le cœur net (expr.) : *En être sûr.*
320. Empreinte (n.f.) : *Trace laissée dans le sol.*
321. Se rendre à l'évidence (expr.) : *Reconnaître, accepter un fait qu'on ne voulait pas admettre avant.*

la forêt de B*** est « démesurée », comme j'ai l'habitude de le dire, c'est peut-être parce qu'il s'y produit d'étranges enchantements[322]. Les cerfs s'y changent en hommes, les femmes en biches ou inversement. Combien de fois ai-je vu la marque d'un sabot s'arrêter net pour laisser place à la forme d'un pied humain avec ses cinq orteils, un pied tout pareil aux vôtres, votre Grâce ?... »

Le président Ravier tourne la tête à droite, puis à gauche. Il s'attend à une réaction chez l'un ou l'autre de ses confrères[323]. Mais le procureur reste immobile. Sans doute se réserve-t-il pour la suite des événements. De son côté, frère Mainteneau doit avoir depuis longtemps arrêté sa décision. Les lèvres en perpétuel[324] mouvement, il égrène nerveusement son chapelet[325]. C'est sûr, il prie déjà pour l'âme de Matthieu Sçavart.

Huissiers et greffiers, gendarmes et juges, le tribunal au complet garde le silence. On dirait que, pour tous, la cause est entendue[326]. Chacun doit interpréter ces histoires de fées et de biches comme une façon de

---

322. Enchantement (n.m.) : *Sortilège, pouvoir magique s'exerçant sur un être ou une chose.*

323. Confrère (n.m.) : *Collègue.*

324. Perpétuel (adj.) : *Qui ne s'arrête jamais.*

325. Égrener son chapelet : *Faire passer entre ses doigts les grains d'une sorte de collier utilisé pour les prières.*

326. La cause est entendue (expr.) : *Tout est clair, il y a assez d'éléments pour savoir quoi penser.*

dissimuler des actes de sorcellerie. Il est si facile de passer d'un cerf à un bouc[327]! d'un sabot fourchu[328] à un autre. Seul Jacques-René Ravier est persuadé que les choses ne sont pas si simples. Mais l'accusé accumule[329] les maladresses. Il devient bien difficile d'agir en sa faveur[330]. Le vieux magistrat considère un instant l'arpenteur. Puis, s'efforçant de changer de sujet, il décide d'en savoir plus sur les fameuses « enveloppes » retrouvées dans le souterrain.

— Laissons à la réflexion du tribunal ces histoires de bêtes et de femmes, maître Sçavart. Expliquez-nous plutôt comment vous avez découvert les cadavres ou, si vous préférez, les... « dépouilles ».

— C'était quelques jours après avoir surpris Aurélie en compagnie du Grand Sec, votre Grâce. J'avais repris mon travail d'arpentage. Je prenais une fois de plus mes mesures quand j'ai eu l'impression que, soudain, le ciel s'assombrissait[331]. J'allais lever la tête, pour voir si le soleil se cachait derrière des nuages, quand j'ai vu arriver un couple fort étrange. L'homme était grand et mince, le poil gris, l'air hagard[332]. Il était à demi nu. Sa chemise était déchirée. Il n'en restait qu'une moitié. On la voyait battre sur un pantalon de toile bleue dont la

---

327. Bouc (n.m.) : *Mâle de la chèvre (souvent associé au diable).*
328. Fourchu (adj.) : *Qui se divise en deux.*
329. Accumuler (v.) : *Ici, multiplier.*
330. En sa faveur : *Dans son intérêt.*
331. S'assombrir (v.) : *Devenir plus sombre.*
332. Hagard (adj.) : *Qui a l'air troublé, bouleversé.*

coupe[333] m'était inconnue. Ce promeneur portait dans ses bras une femme à la flamboyante chevelure rousse. La pauvrette! Elle avait une vilaine blessure au cou. On aurait dit qu'on lui avait enfoncé une épée dans la gorge. Malgré un pansement de fortune[334], elle continuait à perdre son sang. Elle était très jolie. Mais elle avait des vêtements plus bizarres encore que son compagnon. Une culotte beige, fort longue, qu'elle portait sans jupon[335] ni robe, laissait deviner presque tout de ses formes. Elle avait les épaules couvertes d'un simple corsage[336] qui m'a paru encore moins convenable[337]. C'est qu'il soulignait ses courbes les plus secrètes! J'ai supposé que j'avais affaire à deux étrangers.

«Je les ai salués poliment, mais ils sont passés sans répondre. Ils semblaient même ne pas me voir. Je les ai laissés poursuivre leur route, prendre quelques pas d'avance. Puis je les ai suivis. Ils m'ont conduit tout droit jusqu'au palais souterrain. J'ai pénétré derrière eux dans la chambre du trône. J'ignore pourquoi, mais il y faisait bien plus sombre que lors de ma première visite. Curieusement, je distinguais pourtant l'inconnu et sa

---

333. Coupe (n.f.): *Ici, la forme.*
334. Un pansement de fortune: *Une protection (de la blessure) faite avec de pauvres moyens.*
335. Jupon (n.m.): *Vêtement que les femmes portent parfois sous leur robe.*
336. Corsage (n.m.): *Vêtement de femme qui couvre le haut du corps.*
337. Convenable (adj.): *Approprié, qui respecte les règles sociales.*

compagne jusque dans les moindres détails. On aurait dit que la lumière les enveloppait. À quelques pouces[338] de là pourtant, c'était le noir complet. On ne voyait même pas les reflets du grand siège d'or. Malgré tout, on devinait une présence. Une créature nous observait. Je percevais ses mouvements. Un instant, j'ai cru entrevoir un œil luisant dans les ténèbres. Une grosse boule brune trouée d'un large point noir. J'aurais juré qu'il s'agissait d'un cerf… »

« La muraille a tremblé, puis elle s'est ouverte comme la dernière fois. Je m'attendais à retrouver la grande salle dorée. Mais c'est un tout autre décor qui s'est présenté à mes yeux. Je découvrais une troisième chambre dont j'ignorais jusqu'alors l'existence. Une veilleuse[339] occupait un coin de la pièce. Elle jetait une lumière hésitante sur des formes transparentes dans lesquelles je pouvais reconnaître autant de silhouettes humaines. Je retrouvais des visages connus, rencontrés le plus souvent au hasard de mes marches dans la campagne : la petite Sylvette qui avait disparu du hameau[340] de Serrange, deux ans plus tôt ; Germain Salsond, dit[341] Haut-Fendu, et dont le buste[342] semblait ridiculement court, comparé à la longueur de ses jambes ; Nicéphore

---

338. Pouce (n.m.) : *Unité de mesure ancienne (environ 2,7 centimètres).*
339. Veilleuse (n.f.) : *Petite lampe.*
340. Hameau (n.m.) : *Groupe d'habitations à la campagne.*
341. Dit (adj.) : *Ici, que l'on appelle.*
342. Buste (n.m.) : *Partie supérieure du corps humain.*

Braque, l'idiot des Jarrespierres; Angélique Douin que ses cousins appelaient Bel-Esprit; et puis bien sûr ma chère Aurélie que j'avais vu courir, sous l'apparence d'une biche, aux côtés du Grand Sec... Mais aussi tant d'autres encore! Tant d'autres dont j'avais oublié le nom, l'aspect[343] ou la figure! Sans compter ceux qui m'étaient tout à fait étrangers. Et Dieu sait s'ils étaient nombreux... »

Matthieu Sçavart demeure un instant silencieux. Il mesure parfaitement à quel point il est dangereux de poursuivre. Mais il s'est promis de dire la vérité toute nue, même s'il doit y risquer sa vie. Il se tient fermement à la barre et ferme les yeux avant de poursuivre.

« L'homme que j'ai suivi jusque-là s'avance. Il dépose la blessée dans l'endroit le plus sombre de la pièce. La lumière qui l'entoure me paraît alors faiblir. Mais elle me permet d'entrevoir quelques instants encore la scène. La femme ne donne pas le moindre signe de vie. Malgré tout, son compagnon lui parle avec une douceur et une tendresse infinie. Il s'exprime dans une langue étrange dont il m'est impossible de saisir le moindre mot. Puis c'est le noir presque complet. La petite lampe, près des silhouettes transparentes, ne projette qu'une faible lueur rouge. »

« Alors, je ne sais pas ce qui me prend. C'est comme si quelqu'un ou quelque chose me poussait à

343. Aspect (n.m.): *Apparence.*

agir. Je pars chercher la veilleuse et, tout en avançant avec précaution, je vais la poser à côté de la femme. Puis je prononce un mot, un seul, mais dont, étrangement, j'ai perdu tout souvenir. J'ai simplement l'impression d'avoir donné un ordre, mais j'ignore tout à fait lequel. »

« Aussitôt, l'homme sort de sa poche une sorte de cahier et l'approche de la flamme. Le papier prend feu. Il se produit une vive clarté[344] qui, un temps, illumine le visage de l'inconnu. Je peux lire alors dans ses traits une souffrance terrible. Mais également quelque chose qui ressemble à de l'espoir. Une musique magnifique, comme je n'en ai jamais entendu de ma vie, se met à résonner dans la salle. C'est tellement beau que j'en ai les larmes aux yeux. »

« Quand enfin les feuillets qu'il tient à la main ont presque entièrement brûlé, l'homme les pose sur le sol et s'allonge près de la femme. Il lui prend la main, murmure encore quelques mots. Puis il ferme les yeux. La musique ralentit, diminue. Ce n'est plus qu'une note imperceptible, un son unique qui court le long du souterrain avant de s'éteindre dans le lointain. »

« Un silence de mort se fait alors autour de nous. Je n'ose pas bouger. Presque aussitôt néanmoins, la créature dont je n'ai fait que deviner la présence sort de l'ombre. Sa silhouette épaisse masque la lumière

---

344. Clarté (n.f.) : *Lumière.*

de la veilleuse. J'ai eu tout juste le temps d'entrevoir la forme de sa tête, couronnée d'une large ramure de cerf, et le nuage de créatures minuscules qui bourdonnent autour d'elle. Un liquide froid me coule dans le dos et me glace le sang. Je résiste un instant à la torpeur[345] qui s'est emparée de moi, puis je m'effondre[346] brutalement sur le sol. Je sens mon front cogner contre les dalles[347]. Tout s'arrête. Une nuit profonde m'enveloppe, son eau noire m'accueille, m'engloutit[348] et me pénètre jusqu'au cœur… »

« À mon réveil, là où le couple s'est allongé, il n'y a plus que deux formes humaines enveloppées dans un cocon[349]. L'homme et la femme n'ont pas cessé de se donner la main. Un même fil de soie court de l'un à l'autre. La petite lampe jette sa lumière indécise[350] sur leurs silhouettes à jamais unies. »

« Dans un coin de la pièce, j'aperçois une cheminée que je n'avais pas encore remarquée. Les braises[351] qui en font rougeoyer[352] les pierres révèlent la présence d'un objet massif posé directement sur le feu. C'est une

---

345. Torpeur (n.f.): *Demi-sommeil, engourdissement.*
346. S'effondrer (v.): *Tomber.*
347. Dalle (n.f.): *Plaque de pierre.*
348. Engloutir (v.): *Avaler.*
349. Cocon (n.m.): *Enveloppe que fabriquent les chenilles pour se transformer en chrysalide.*
350. Indécise (adj.): *Hésitante.*
351. Braise (n.f.): *Ce qui reste du bois quand il brûle et qui est rouge de chaleur.*
352. Rougeoyer (v.): *Avoir des reflets rouges.*

sorte de chaudron[353] d'où monte une vapeur épaisse et odorante. »

« Je m'approche et tends les mains en direction de cette source lumineuse. Une chaleur douce pénètre peu à peu en moi et lentement me ramène à la vie. J'avance encore de quelques pas et observe plus en détail le récipient placé au milieu de l'âtre[354]. Ses bords sont parcourus de figures sculptées. Des hommes et des femmes se mêlent à des biches et des chevaux. Ils entourent un personnage assis en tailleur. À sa ramure de cerf, je reconnais la créature que j'ai vue à de nombreuses reprises[355] dans les deux autres chambres souterraines, sur le grand trône comme sur les murs d'or de la salle de bal[356]. Il s'agit de l'être mystérieux qui quelques instants plus tôt – quelques heures peut-être – s'est dressé à mes côtés dans le souterrain. »

« Je m'approche un peu plus encore du chaudron. Un liquide épais bouillonne[357] à l'intérieur. Des morceaux de viande, des os, dansent à la surface. Je me rends compte alors que je tiens un objet à la main : un long couteau dont le manche dessine un pied de cerf. À la lumière incertaine des braises, la lame[358], excessivement pointue, me paraît être encore rouge de sang. »

---

353. Chaudron (n.m.) : *Récipient en métal, sorte de grosse casserole.*
354. Âtre (n.m.) : *Partie de la cheminée où brûle le feu.*
355. De nombreuses reprises : *De nombreuses fois.*
356. Bal (n.m.) : *Fête où l'on danse.*
357. Bouillonner (v.) : *Faire des bulles à la surface.*
358. Lame (n.f.) : *Partie coupante du couteau.*

Voici déjà un bon moment que Marc du Faulnay a demandé la parole. Le président Ravier baisse la tête en signe d'approbation[359]. Il a renoncé à sauver l'arpenteur. Aussitôt le procureur du roi se lève et, solennellement[360], pointe un doigt accusateur en direction du criminel. Il n'a cependant pas le temps de formuler la moindre accusation. Car le bon frère Mainteneau s'est lui aussi dressé, pâle comme la mort. De sa voix puissante de prédicateur[361], il formule une condamnation sans appel[362] :

– Matthieu Sçavart, vous êtes coupable de sorcellerie. Cette bête à cornes dont vous vous êtes fait le complice[363] ne peut être que Satan en personne. Quant au chaudron monstrueux dans lequel vous avez fait cuire vos victimes, il est preuve de cuisine démoniaque[364]. Vos actes sont trop abominables[365] pour que vous puissiez être jugé par un tribunal civil. J'exige que vous soyez livré à la Sainte Inquisition afin que vous répondiez devant Dieu de vos crimes.

L'arpenteur ne répond pas. Il a compris depuis longtemps qu'il ne pourrait jamais prouver son

---

359. Approbation (n.f.) : *Accord.*
360. Solennellement (adv.) : *Gravement, avec cérémonie.*
361. Prédicateur (n.m.) : *Celui qui annonce la parole de Dieu dans les assemblées chrétiennes.*
362. Sans appel (adv.) : *Définitif.*
363. Complice (n.m.) : *Celui qui aide à commettre un crime.*
364. Démoniaque (adj.) : *Diabolique.*
365. Abominable (adj.) : *Horrible.*

innocence. S'il baisse la tête, ce n'est pas sous l'effet du désespoir. Il rassemble ses forces avant d'affronter des épreuves bien plus terribles que celles qu'il a déjà endurées[366]. La torture, sans doute, le feu du bûcher[367], peut-être. Qu'importe, cependant! Car il vient de comprendre que tout cela a un sens. Il ne se sera pas défendu pour rien.

Lorsqu'il relève enfin la tête, Matthieu Sçavart donne l'impression d'être soulagé[368]. L'angoisse qu'il éprouvait au début du procès s'en est allée. Il déplie avec calme son bonnet vert. Il l'a tant malmené que ce n'est plus qu'une loque[369]. Il se l'enfonce pourtant fièrement sur le crâne. À croiser son regard, on a l'impression d'avoir affaire à un juste qui part l'esprit libre, une fois le devoir accompli. Personne ne remarque qu'en se tenant à la barre, il a creusé le bois de ses ongles. Involontairement sans doute, il y a gravé trois lettres qui forment comme le début d'un prénom: un A, un U et un R...

*

Le président Ravier erre parmi les grands arbres, caressant du bout des doigts les feuilles trempées par les

---

366. Endurer (v.): *Supporter.*
367. Bûcher: *Tas de bois où on place ceux qui sont condamnés à brûler.*
368. Soulagé (adj.): *Qui est libéré d'une souffrance.*
369. Loque (n.f.): *Vêtement, tissu abîmé.*

pluies d'automne. C'est là qu'on a retrouvé Aurélie ; là qu'on l'aura offerte en sacrifice au diable – du moins à en croire l'acte d'accusation établi par le Père Mainteneau. Seules, quelques gouttes de sang tachent encore le tronc des arbres. C'est tout ce qui reste d'un drame que nul n'aura pu entièrement comprendre. L'accusé mis à part, peut-être.

Ah ça ! Matthieu Sçavart, on peut dire que vous êtes parti avec votre secret ! Votre premier procès s'est terminé le 13 janvier 1712. La déclaration solennelle du moine y a mis fin. Et c'est un tout autre tribunal qui vous a entendu. Une fois abandonné à la justice de Dieu, il n'a plus été question de fées ou d'hommes-cerfs, mais de Lucifer, de Belzébuth[370] et leurs légions infernales[371]. Quelles tortures vous a-t-on infligées[372] pour que vous reconnaissiez[373] finalement que Satan était votre maître ? Qu'importe, puisque le Grand Inquisiteur est parvenu à son but ! On vous a condamné pour meurtres et pratiques démoniaques. Le grain de beauté[374] que vous aviez sur l'épaule gauche a suffi à démontrer que vous vous étiez donné au diable : quand on l'a piqué avec une longue aiguille[375], il n'en est pas sorti une seule goutte de sang.

---

370. Lucifer, Belzébuth : *Noms associés parfois à Satan.*
371. Légions infernales : *Armées des Enfers.*
372. Infliger (v.) : *Faire subir, imposer une peine à quelqu'un.*
373. Reconnaître (v.) : *Ici, admettre, avouer.*
374. Grain de beauté : *Petite tache sombre sur la peau.*
375. Aiguille (n. f.) : *Instrument fin et pointu.*

On avait retrouvé pourtant des enveloppes humaines antérieures[376] à vos débuts d'arpenteur. Certaines même semblaient dater de plusieurs générations... Mais, selon les juges de l'Inquisition, ce n'était là qu'illusion et tromperie diabolique. Que dire également de ces deux cocons soudés l'un à l'autre dont on a constaté tout d'abord la présence et qui par la suite ont mystérieusement disparu ? Le rapport de police établi[377] par le Lieutenant Deslerot les décrit pourtant en détail. Cinq mois plus tard, les officiers de l'Inquisition n'en ont pas trouvé trace. Lors de leur visite dans les souterrains, vous étiez pourtant depuis longtemps sous les verrous[378]... Qui donc pouvait avoir poursuivi votre tâche, Matthieu Sçavart ?... Autant de questions auxquelles ni la justice des hommes, ni celle de Dieu n'auront cherché de réponse.

On vous a brûlé au premier jour de l'automne, le 23 septembre 1713, sur la Grand-Place de Toul, devant les fenêtres du parlement. Et depuis lors, le président Ravier se fait une autre idée de la justice. Il a démissionné[379] de ses fonctions. Une semaine plus tard, il a dit adieu à ses confrères. Il a longuement félicité Marc du Faulnay pour avoir accepté de prendre sa

---

376. Antérieures (adj.) : *D'avant.*
377. Établir (v.) : *Ici, faire.*
378. Être sous les verrous (expr.) : *Être en prison.*
379. Démissionner (v.) : *Quitter son travail, renoncer à son poste.*

place à la tête du tribunal. Il a également fait l'éloge[380] de l'ouvrage que l'ancien procureur venait de faire imprimer : *Du danger des fées et de la folle croyance aux changelins*. Puis, redevenu simple citoyen, Jacques-René Ravier a fait préparer ses malles[381] et est allé s'installer à l'Hostellerie du Duc, à quelques pas de la forêt de B***. C'est pour lui désormais comme un pèlerinage[382] : voici près de dix jours qu'il se rend chaque matin dans les bois et n'en revient qu'à l'heure du déjeuner…

Un bruit dans les fourrés retient son attention. Un animal a dû fuir à son approche. L'ancien magistrat fait encore quelques pas, il écarte deux branches basses et pénètre dans une clairière. Un grand cerf est là, qui semble l'observer. Très lentement, le vieux mâle lève son museau vers le ciel et lance son brame mélancolique.

Presque aussitôt, une cavalcade[383] se fait entendre. Le promeneur ne peut s'empêcher de sourire. Voilà une dame biche bien pressée de retrouver monsieur son époux !...

Au même instant, le soleil perce les nuages qui, depuis le matin, obscurcissent le ciel. Un rayon lumineux vient frapper l'une des gouttes d'eau que la pluie

---

380. Faire l'éloge (expr.) : *Dire du bien.*
381. Malle (n.f.) : *Grand coffre.*
382. Pèlerinage (n.m.) : *Voyage que l'on fait pour rejoindre un lieu important (religieux ou sentimental).*
383. Cavalcade (n.f.) : *Course rapide (en général de chevaux).*

matinale a déposées sur les feuilles. Jacques-René Ravier y voit se refléter la forêt tout entière, bizarrement déformée. Dans le creux autour duquel s'arrondissent les arbres, on distingue encore, l'espace d'un instant, deux formes minuscules qu'on dirait jointes[384] l'une à l'autre : l'image inversée[385] du grand cerf et de sa compagne qui, côte à côte, filent parmi les arbres.

384. Jointes (adj.) : *Unies, liées.*
385. Inversée (adj.) : *À l'envers.*

5

Le plus étrange, voyez-vous, jeune homme, c'est qu'il est revenu. Chaque matin à la même heure, je l'ai vu se coller à la fenêtre du bureau. Il n'a pas manqué un seul de nos rendez-vous. Du moins, jusqu'au mois dernier, jusqu'au jour où j'ai inscrit le mot « FIN » au bas de la partition. Vous imaginez cela, mon garçon? Les cerfs sont des animaux sauvages, non? Eh bien le mien quittait sa forêt tous les matins, à l'aurore[386]; il suivait le chemin qui longe[387] les fermes, pénétrait dans la cour sans la moindre crainte. Et tout cela pour... Mais pourquoi, au juste?

Les premières fois, il se contentait de lancer son brame à deux ou trois reprises, puis il retournait vers les siens. J'ai pensé qu'il voulait que je m'imprègne[388] des cinq notes, longues et mélancoliques, qui composent

386. Aurore (n.f.): *Lueur juste avant le lever du jour.*
387. Longer (v.): *Aller le long de quelque chose.*
388. S'imprégner (v.): *Se laisser pénétrer.*

son appel. Vous le verrez, le motif qu'elles dessinent se retrouve un peu partout dans mon *Adagio*.

Peu à peu cependant, je l'ai vu s'attarder près de ma fenêtre. Il venait frotter son museau à la vitre, frappait légèrement le verre de ses bois. J'ai bientôt pris l'habitude de sortir, comme pour répondre à son appel. Je me contentais de demeurer[389] à ses côtés. Je lui caressais le dos, lui tapotais[390] l'encolure[391], comme je l'aurais fait avec un cheval. Ah, ce simple geste ravivait[392] en moi tant de souvenirs ! Je revoyais Rhianna et ce bon Pwyll dont je m'étais séparé au lendemain des funérailles[393]. Mais c'était surtout Kathleen dont je retrouvais les traits. J'entendais monter son rire dans la maison, résonner son pas dans les écuries. Je me remplissais de sa présence.

Au bout d'une heure environ, je retournais à ma musique. De la fenêtre, je voyais le cerf lentement repartir en direction de la forêt. Je me retrouvais à nouveau seul. Mais j'avais l'esprit envahi par le souvenir de ma femme. Je ne crois pas avoir écrit un accord, ni même la moindre note sans avoir songé à elle, à tel détail de son visage, de son corps, à telle particularité de sa voix,

---

389. Demeurer (v.) : *Rester.*
390. Tapoter (v.) : *Taper légèrement.*
391. Encolure (n.f.) : *Cou d'un animal.*
392. Raviver (v.) : *Rendre vif, intense.*
393. Funérailles (n.f. pl.) : *Cérémonie pour un enterrement.*

à telle manière d'être ou encore à l'un ou l'autre de ses gestes. Avez-vous remarqué combien certains êtres se révèlent à leur façon d'avancer la main ou de pencher la tête ? Non, bien sûr, vous êtes trop jeune pour cela ! Eh bien, Kathleen, on pouvait la comprendre tout entière en la regardant s'asseoir devant vous ou encore tourner le regard en direction de la lumière...

La nuit, il m'arrivait de me réveiller en sursaut[394]. C'était, à chaque fois, pour voir deux yeux à l'éclat d'émeraude veiller sur moi dans les ténèbres[395]. Je me levais aussitôt. J'enfilais une robe de chambre et rejoignais le bureau. Là, j'écrivais à la hâte[396] les quelques mesures que j'avais eu l'impression d'entendre dans mon sommeil.

J'ai compris peu à peu que le vieux cerf était une sorte de messager. Il me mettait en contact avec un monde dont j'ignorais tout mais où le temps n'avait pas cours[397]. Un monde fait de sons, de beauté et de rires. Un monde où Kathleen vivait éternellement. J'ai fini par me rappeler qu'une année, vers Pâques, un homme était venu ici, à B***, pour prendre les mesures de la forêt. Il avait tenu des propos invraisemblables. Il prétendait avoir trouvé... Mon Dieu, comment donc appelait-il

---

394. En sursaut (loc.) : *Brusquement.*
395. Ténèbres (n.f.) : *Obscurité profonde.*
396. À la hâte (loc.) : *En se dépêchant.*
397. Avoir cours (v.) : *Avoir une valeur.*

cela?... Ah, oui! un «nœud spatio-temporel». Il avait découvert l'existence de ce genre de choses ici même, quelque part au milieu des bois. À l'époque, bien sûr, tout le monde l'a pris pour un fou. Mais en me rappelant voici peu ces histoires, je me suis demandé si finalement, il n'avait pas raison.

*

Le jour où j'ai achevé[398] l'*Adagio*, le cerf m'a entraîné vers la forêt. Je n'ai pas compris tout de suite ce qu'il attendait de moi. Je lui tapotais la croupe[399], quand il a reculé de quelques pas, puis fait demi-tour, comme pour sortir de la cour. J'ai pensé qu'il mettait fin à notre entrevue[400]. J'allais retourner à mon piano lorsque j'ai vu qu'en fait il m'attendait. Je me suis approché de lui. Il a avancé de deux ou trois mètres en direction des bois. Je l'ai suivi. Il a continué son manège[401] et m'a conduit ainsi jusqu'au sanctuaire[402] d'Épona.

Cela fait quatre ans à peine que les archéologues ont mis à jour ce vieux temple, au beau milieu de la forêt de B***. Quand je contais à Kathleen les légendes consacrées à la déesse cavalière, j'ignorais encore qu'on

---

398. Achever (v.): *Terminer.*
399. Croupe (n.f.): *Partie postérieure d'un animal.*
400. Entrevue (n.f.): *Rendez-vous, rencontre.*
401. Manège (n.m.): *Ici, manœuvre, comportement.*
402. Sanctuaire (n.m.): *Lieu sacré.*

en découvrirait des traces à moins d'un kilomètre de la maison. Dix fois, vingt peut-être, j'ai regretté que ma femme n'ait pas pu visiter ces ruines. Mais ce matin-là, j'avais l'impression qu'elle m'accompagnait. J'ai contemplé longuement le bas-relief qui a permis aux savants d'identifier la divinité du lieu. Bien qu'il soit excessivement usé, on y reconnaît encore la déesse, assise, les yeux clos[403], entre un cheval et une jument. À l'arrière-plan, on distingue deux autres silhouettes animales : une biche et ce qui ressemble à un cerf, une bête toute jeune, avec ses premiers bois…

Mais je n'ai pas le temps de m'attarder devant la sculpture. D'un coup de museau, le vieux mâle m'entraîne un peu plus loin. Je me prépare à le suivre, quand brusquement le sol se dérobe[404] sous mes pas. La terre roule sous mes talons, je glisse lentement. Je ne sais par quel miracle, je réussis néanmoins à conserver mon équilibre. Un peu étourdi, j'atterris dans une sorte de crypte[405] dont l'existence semble avoir échappé aux archéologues. Ma chute a fait s'écrouler une partie du plafond. Un large rayon de soleil pénètre dans la pièce. Visiblement, l'endroit a été ravagé[406] par un incendie. Les murs, partout, sont noircis par les flammes. Une

---

403. Clos (adj.) : *Fermés.*
404. Se dérober (v.) : *Ici, s'ouvrir.*
405. Crypte (n.f.) : *Sorte de cave ou de grotte sous une église.*
406. Ravagé (adj.) : *Détruit, très abîmé.*

inscription latine retient mon attention : «*Jussu Sanctae Inquisitionis. Anno Domini MDCCXIII*». Je traduis aussitôt : «Par ordre de la Sainte Inquisition. En l'an 1713 de notre Seigneur.»

Un léger bruit se fait entendre dans mon dos. C'est le cerf qui descend lentement la pente créée par l'éboulement[407]. Une drôle d'impression me saisit. J'ai le sentiment de présences multiples voletant tout autour de moi. On dirait une nuée[408] d'insectes qui par instants bourdonnent à mes oreilles. Je les chasse d'un geste de la main et me prépare à quitter les lieux. Mais une ombre se projette sur le mur, noire sur fond de suie[409]. Une forme massive coiffée d'une large ramure. Il ne peut s'agir du cerf qui renifle le sol, à l'autre bout du souterrain. Je me retourne vivement. Mais rien ! Il n'y a derrière moi qu'un tas de pierres. En filtrant à travers les arbres, le soleil doit me jouer des tours [410]! Quelque chose néanmoins me glace les sangs[411]. Une barre me pèse sur la poitrine et je sens mon cœur qui s'affole…

Puis c'est le noir. J'entends une voix rauque[412], quelques mots indistincts, et je plonge dans le vide. Jusqu'à ce que je sente une langue râpeuse[413] me lécher

---

407. Éboulement (n.m.) : *Chute de pierres et de terre, effondrement.*
408. Nuée (n.f.) : *Multitude.*
409. Suie (n.f.) : *Traces noires que laisse la fumée.*
410. Jouer des tours (expr.) : *Tromper.*
411. Glacer les sangs (expr.) : *Faire très peur.*
412. Rauque (adj.) : *Rude, enrouée.*
413. Râpeuse (adj.) : *Qui râpe, rugueuse (contraire de lisse, douce).*

la joue. C'est mon compagnon le cerf, évidemment, qui s'efforce de me ramener à la vie. En vain. Je m'enfonce dans une sorte de brouillard lumineux, sans aucune consistance.

«Banal infarctus[414]!», ont dit les médecins. C'est que je n'ai plus votre âge, jeune homme! On m'a fait des analyses, prescrit[415] tout un tas de médicaments et surtout beaucoup de repos. Voilà tout. Au bout de trois semaines, j'étais autorisé à quitter l'hôpital. J'avais terminé mon *Adagio*, cependant. Et j'ai dû avoir peur de mourir avant d'avoir fait parvenir la partition à votre patron. Je lui ai téléphoné dès mon retour à la maison. Cela fait près de trente ans qu'il est mon éditeur, savez-vous? Et vous voilà ici, ce soir, pour récupérer mon œuvre – la toute dernière, peut-être…

– Allons, Maître! proteste le jeune homme en se forçant à sourire, vous avez encore de longs jours devant vous! On verra bien des fois encore le nom d'Athanasius Pearl à la devanture des éditions Mathiers!

Le visiteur tente de rester poli, mais il ne peut s'empêcher de bâiller[416]. Il maudit son directeur de l'avoir envoyé ainsi récupérer une partition dans un coin perdu de la campagne française. Et pire encore:

---

414. Infarctus (n.m.): *Crise cardiaque.*
415. Prescrire (v.): *Recommander.*
416. Bâiller (v.): *Ouvrir la bouche de manière involontaire à cause de l'ennui ou de la fatigue.*

supporter le bavardage[417] interminable d'un vieillard. Il faut espérer au moins que son *Adagio* est un chef-d'œuvre !

– Athanasius, fait le vieil homme en souriant… Je n'ai jamais aimé mon prénom. Mes parents sont allés le chercher dans un roman allemand, je crois. Kathleen, elle, m'appelait Athan. Cela fait plus jeune, non ?... Mais je vous fatigue avec mes histoires !... Je vous montrerai ma musique demain. Il y a deux ou trois choses que je veux vous expliquer afin que l'imprimeur ne se trompe pas. Allez ! Filez dans votre chambre, mon ami, et surtout reposez-vous ! Je vous porterai votre petit déjeuner à l'heure convenue. Thé ou café ?

*

Un large sourire aux lèvres, Athanasius Pearl remonte la couverture du lit jusque sous son menton. Il revoit un instant l'expression un peu stupide de son convive[418], le jeune employé de Mathiers, son éditeur. Espérons qu'au moins il s'y connaisse un peu en musique ! Car à le voir ouvrir de grands yeux à chaque fois qu'on parlait de Kathleen, il est clair qu'il n'a aucune expérience de la vie. Bah ! Cela viendra avec le temps…

---

417. Bavardage (n.m.) : *Fait de parler beaucoup.*
418. Convive (n.m.) : *Personne qui participe à un repas.*

— Et puis ! J'ai bien dû lui casser les pieds[419] avec toutes mes histoires, songe le vieil homme dans un demi-sommeil. Toute l'après-midi passée à bavarder. Et puis le dîner qui traînait en longueur, dîner durant lequel il n'a pas dit un mot. Il est vrai qu'il était occupé à remplir et à vider son assiette... Quel appétit, ce garçon ! Il faudrait qu'il surveille un peu sa ligne[420], d'ailleurs. Il commence à ressembler à ces statues qu'on voit en Chine et qui montrent un Bouddha gras et rieur, assis sur un sac d'or...

« Après tout, heureusement que j'étais là pour le distraire. Sinon il aurait mangé sans arrêt. On ne peut me reprocher en fin de compte[421] d'avoir tant parlé ! Et pourtant, j'ai été loin de tout dire... »

Athan ferme les yeux. Comment aurait-il pu raconter ce qui ressemble à un rêve et présente cependant toutes les apparences de la réalité ? Un événement s'est produit juste avant qu'il ne perde conscience, juste avant qu'il ne se réveille à l'hôpital. Il en garde un souvenir clair. Et bien que son sens général lui échappe, chaque mot, chaque détail le hante[422]. Il est encore dans la salle souterraine qui s'est ouverte sous

---

419. Casser les pieds (expr.) : *Énerver, ennuyer.*
420. Surveiller sa ligne (expr.) : *Faire attention à ne pas trop grossir.*
421. En fin de compte (loc.) : *Finalement.*
422. Hanter (v.) : *Obséder, revenir sans cesse à l'esprit.*

ses pas, près du sanctuaire d'Épona. Un petit homme, un bonnet vert à la main, s'approche de la grande forme cachée dans l'ombre. Puis le voilà qui s'agenouille et, d'une voix hésitante, formule une demande incompréhensible :

– Cette fois, Maître, ce n'est pas un bijou que je désire.

Quelque chose résonne dans la tête d'Athanasius Pearl, une musique étrange. Ce ne sont pas des paroles, mais des sons graves et sombres. Et pourtant, le vieux compositeur en saisit aussitôt la signification exacte : « Que veux-tu donc, Matthieu, si ce n'est pas de l'or ? »

– Je voudrais, ô grand Cernunnos, qu'Aurélie revienne, qu'elle puisse poursuivre son existence de fille fée dans notre belle forêt.

À nouveau des harmonies inconnues retentissent dans l'esprit d'Athan. Et cette fois, le vieillard a l'impression d'habiter le grand corps caché dans l'ombre. Comme si une force inconnue l'avait projeté dans cette silhouette énorme. On dirait que c'est lui à présent qui hoche la tête, lui qui agite la grande ramure de cerf. La symphonie qui résonne en lui a beau paraître totalement étrangère, il en comprend les moindres nuances. On pourrait croire qu'il répond lui-même à l'homme au bonnet vert :

– Allons, mon bon Matthieu, il faudrait m'offrir plus que quelques mots, même s'ils forment l'une de ces histoires merveilleuses dont tu as le secret. Tu dois abandonner quelque chose, quelque chose de bien plus précieux qu'un conte. Toute mort a son prix…

Toute mort a son prix. Cette phrase, Athan l'avait aux lèvres lorsqu'il a repris conscience dans son lit d'hôpital. Il l'a encore à l'esprit chaque fois qu'il s'endort, chaque fois également qu'il pose ses mains sur les touches de son piano. Oh, Kathleen, quel a donc été le prix de ta mort ?

Rêve-t-il ? Un bruit de pas s'est fait entendre sous sa fenêtre. Il ne s'agit certainement pas de son visiteur, l'employé de Mathiers. Le pauvre garçon doit dormir à poings fermés[423] ! D'ailleurs, ce qu'on entend monter de la cour n'a rien de commun avec la démarche d'un homme. C'est une bête qui s'est approchée, une bête qu'il reconnaîtrait entre mille : le vieux mâle, son ami le cerf.

Toute mort a son prix. Athan enfile[424] à la hâte sa robe de chambre. Dans le souterrain, la voix avait ajouté quelque chose, quelque chose qui lui a échappé sur le moment, mais qui lui revient à présent en mémoire :

– Donne ce que tu as de plus précieux, disait l'ombre, et Aurélie reviendra durant la veillée de Samain.

Athan connaît trop bien les légendes celtes pour ne pas comprendre. Pendant la nuit du 31 octobre, le monde des morts entre en communication avec celui

---

423. Dormir à poings fermés (expr.) : *Dormir profondément.*
424. Enfiler (v.) : *Mettre.*

des vivants. C'est le moment aussi où le petit peuple des fées manifeste sa présence, où, subitement[425], tout devient possible. Autrefois, on plaçait des lanternes sur les routes pour que tous ces *revenants*[426] puissent retrouver leur chemin. Dans les maisons, on laissait les portes entrouvertes, et à table, on réservait une place pour les êtres de l'au-delà. C'était ainsi qu'on fêtait encore Samain il y a moins d'un siècle.

Toute mort a son prix. Cette phrase, il vient tout juste de la comprendre. Il doit trouver quelque chose, quelque chose d'assez précieux pour Kathleen. Il tourne dans la chambre, ouvre les tiroirs, contemple un instant les bijoux que portait autrefois sa femme. Ce n'est évidemment pas cela qui compte. Sur une étagère, ses doigts entrent en contact avec une étoffe[427] soyeuse[428], pliée avec soin. Le visage de Chopin, et au-dessous, quatre gouttes de sang. Un DO, un RÉ, un FA et un SOL. Et soudain, il comprend. Il descend l'escalier, gagne le bureau, met la main sur le manuscrit posé sur le piano. L'*Adagio pour trombone et orchestre*. Il n'a rien de plus précieux.

— Je deviens fou ! se dit-il en s'emparant de la partition. Mais toute mort n'a-t-elle pas son prix ? ajoute-t-il en riant de façon bizarre…

425. Subitement (adv.) : *Soudainement, brusquement.*
426. Revenant (n.m.) : *Fantôme. Peut aussi désigner une personne qui revient.*
427. Étoffe (n.f.) : *Tissu.*
428. Soyeuse (adj.) : *Très douce.*

*

Dans la cour, le cerf est là qui l'attend. Athan pose sa main libre sur le dos de l'animal et se laisse conduire comme un aveugle. C'est à peine s'il trébuche contre les inégalités du sentier[429]. Son guide semble avoir choisi la route la plus sûre, la plus facile pour le mener ainsi dans le noir jusqu'au cœur de la forêt.

On ne voit rien dans ces ténèbres et pourtant le vieil homme sait parfaitement où il se trouve. Il n'est plus qu'à quelques pas du sanctuaire d'Épona. Il se prépare à descendre dans le souterrain quand soudain son compagnon s'immobilise. D'un mouvement de tête, le cerf lui fait comprendre que désormais leurs chemins se séparent. Athan retire la main qu'il avait posée sur le dos de la bête. Le voici seul à présent au milieu de la forêt.

— Ah, tu as l'air malin, à présent ! grogne-t-il en serrant la partition contre lui. On dirait le Petit Poucet[430] lorsqu'il s'en va rencontrer l'Ogre !...

Il n'a pas le temps de continuer à plaisanter sur lui-même. Car une lumière vient d'apparaître, là-bas, au détour d'un sentier. Quelqu'un avance dans sa direction, avec une lampe ou quelque chose de ce genre. Il suffit, bien tranquillement, de l'attendre.

---

429. Sentier (n.m.) : *Petit chemin.*
430. Petit Poucet : *Personnage de conte, pas plus grand qu'un pouce, mais qui réussit à triompher d'un ogre.*

– C'est étrange, songe Athan, l'impression que produit la moindre lueur quand elle brille ainsi dans les ténèbres.

Celle qui approche n'échappe pas à la règle[431]. Elle éclaire curieusement le promeneur qui, à grands pas, vient à sa rencontre. On dirait qu'elle se trouve non pas à l'extérieur mais à l'intérieur de son corps.

À mesure qu'elle approche, la silhouette de l'homme se précise. C'est un individu grand et mince, courbé sur l'objet qu'il semble porter, une chose longue et souple… Un corps… Le corps d'une femme !

Athan sent soudain le sol chavirer[432] sous ses pieds. C'est sa propre forme qui court vers lui. Un autre lui-même, creux et lumineux comme une ampoule électrique. Et dans les bras de ce fantôme repose le cadavre de Kathleen, un cadavre de chair[433] et de sang qui lui fait comme une tache d'ombre.

Athan se frotte les yeux. Ce ne peut être qu'un rêve. À coup sûr, il est dans son lit. Il va se réveiller et son double aussitôt disparaître… Mais non ! L'être de verre est toujours là, en face. Il passe devant lui comme un automate[434] et descend dans les souterrains, éclairant tout sur son passage. Il n'y a plus qu'à le suivre.

---

431. Échapper à la règle (expr.) : *Faire exception.*
432. Chavirer (v.) : *Basculer, se renverser.*
433. Chair (n.f.) : *Tissu musculaire, viande.*
434. Automate (n.m.) : *Robot.*

Le vieil homme reconnaît les lieux, les murs noircis par le feu, l'inscription en latin. Dans l'ombre, il en est sûr, le géant à ramure de cerf doit être là. Mais soudain, il a le sentiment d'une autre présence. Comme lui, quelqu'un s'est glissé à la suite de la créature électrique. Nul besoin de le dévisager pour le reconnaître. C'est le petit homme au bonnet vert!

Au centre de la grande salle, le double d'Athan s'est agenouillé. Il dépose le corps de Kathleen sur le sol. Ses gestes sont d'une douceur, d'une tendresse extrême. Il arrange avec soin la chevelure de la jeune femme, la dispose en éventail[435] sur le sol. On dirait une algue rouge flottant dans les profondeurs de la mer, ou encore une flamme impossible dont les ténèbres chercheraient à dévorer le feu secret.

Tout en serrant sa partition contre son cœur, Athan s'approche à son tour. Il veut toucher lui aussi ces cheveux fantômes qui paraissent si réels, sentir leur parfum d'au-delà. Y retrouvera-t-il la senteur des fleurs d'Irlande?

Quand sa main rencontre celle de son double, le vieux compositeur se sent brusquement aspiré[436]. Un instant, la terreur déforme ses traits. Mais presque aussitôt un grand calme l'envahit. Il vient de pénétrer à l'intérieur de la forme de verre. Il est à genoux à pré-

---

435. En éventail (loc.): *En demi-cercle.*
436. Aspiré (adj.): *Avalé.*

sent, à côté de la femme qu'il aime, et dont il caresse l'éblouissante chevelure.

Il n'y a plus qu'un seul Athanasius Pearl. La lumière qui brillait à l'intérieur de l'enveloppe creuse a elle aussi disparu. Tout devient noir autour de lui. Mais le petit homme au bonnet vert s'approche. Il dépose tout près du visage de Kathleen une veilleuse, pareille à celles qu'on voit dans les églises : une simple lampe à huile dans un récipient[437] de verre rouge. Puis, trottinant[438] comme une souris, l'inconnu se retire[439] et, d'une voix forte, prononce un mot, un seul :

– Musique !

– *Toute mort a un prix*, se dit Athan. C'est le moment d'offrir à Kathleen ce qui me reste de plus précieux.

Et en tremblant, il approche sa partition de la flamme.

*

Serge Vaugras, l'employé des éditions musicales Mathiers, s'est réveillé en sursaut. Un rayon de soleil lui a frappé l'œil et il a aussitôt consulté[440] sa montre.

---

437. Récipient (n.m.) : *Objet creux dans lequel on peut mettre quelque chose.*
438. Trottiner (v.) : *Marcher à petits pas.*
439. Se retirer (v.) : *S'en aller.*
440. Consulter (v.) : *Ici, regarder.*

– Neuf heures! s'exclame-t-il en se levant d'un bond. Je ne serai pas à Paris avant le début de l'après-midi. Le patron va encore me passer un de ces savons[441] ... Quand je pense que ce vieux fou de Pearl devait me réveiller aux aurores, et même m'apporter le petit déjeuner au lit! Tu parles, il doit dormir comme un bienheureux.

Le jeune homme enfile ses vêtements après une toilette rapide. Puis il se met en quête[442] de son hôte[443]. Personne dans la cuisine ni dans le salon. À l'étage, les chambres sont vides. Reste le bureau. Peut-être le vieillard corrige-t-il une dernière fois sa maudite partition avant de la donner à l'éditeur…

Mais non! Là aussi, pas un chat. Rien d'autre que le piano au milieu de la pièce. Sans doute le vieux Pearl est-il parti se promener dans la forêt en compagnie de ses amis les cerfs. D'après ce qu'il a raconté hier soir, ça a l'air d'être dans ses habitudes.

– Je ne vais pourtant pas l'attendre des heures! grogne Serge en se frottant le ventre. C'est que j'ai une faim de loup[444], moi!

Il hésite cependant: partir tout de suite, ou attendre encore une heure ou deux. S'il revient à Paris

---

441. Passer un savon (expr.): *Réprimander, disputer.*
442. En quête (loc.): *À la recherche.*
443. Hôte (n.m.): *Celui qui invite.*
444. Une faim de loup (expr.): *Une très grosse faim.*

sans la partition, cela fera toute une histoire. Mieux vaut rester ici un moment. De toute façon, personne ne pourra lui reprocher son retard. Il la tient, son excuse. Il suffit d'appeler le patron au téléphone et de lui expliquer que le vieux a disparu.

– Allô, monsieur Mathiers ? Oui, c'est moi, Serge. Je suis encore chez Athanasius Pearl. Il devait me confier la partition ce matin, mais je ne sais pas où il est parti. Cela fait bien deux, trois heures que j'attends.

– Eh bien, patientez encore un peu, mon petit, fait la voix à l'autre bout du fil. Que nous ayons la partition ce soir ou demain, peu importe ! Ce qu'il faut, c'est l'avoir. Vous avez compris ? Vous ne partez pas sans elle. Et surtout n'oubliez pas de faire signer son contrat à l'auteur !

Serge Vaugras repose le combiné[445] en souriant. Puis il prend la direction de la cuisine. Son estomac crie famine[446]. Il a besoin d'un solide petit déjeuner.

– Peut-être après tout le vieux est-il dans la forêt, raide mort, se dit-il un sourire aux lèvres tandis qu'il allume sous la bouilloire[447]. Et tout en imaginant la scène – un cadavre étendu parmi les feuilles mortes, la main sur le cœur –, il se coupe une grande tartine de pain et la beurre avec application.

---

445. Combiné (n.m.) : *Partie du téléphone dans laquelle on parle.*
446. Crier famine (expr.) : *Avoir très faim.*
447. Bouilloire (n.f.) : *Récipient dans lequel on fait bouillir de l'eau.*

Voici à présent quatre heures que Serge Vaugras attend le retour de son hôte.

– Hors de question[448] que je reste ici une minute de plus, se dit-il. Nous sommes le 1er novembre. Après tout, je devrais être en congé[449]. Je prends l'*Adagio* et je rentre à Paris. Si Mathiers veut avoir les explications de l'auteur à propos de sa musique, il n'aura qu'à se déplacer lui-même.

En bougonnant[450], le jeune homme se lève du fauteuil dans lequel il a somnolé[451] la plus grande partie de la matinée. Il se gratte longuement le ventre, tâte son estomac, se demande un instant s'il n'a pas un peu faim. Puis il hausse les épaules et pénètre dans le bureau. La précieuse partition doit être sur le piano. Ah, oui! La voilà!

– Mais qu'est-ce encore que ce machin[452]? demande Serge Vaugras en s'approchant. On dirait des feuilles de papier-calque[453]!

---

448. Hors de question: *Pas question.*
449. Congé (n.m.): *Période où on a le droit de ne pas travailler (vacances).*
450. Bougonner (v.): *Murmurer, gronder entre ses dents.*
451. Somnoler (v.): *Dormir à moitié.*
452. Machin (n.m.): *Chose.*
453. Papier-calque (n.m.): *Papier transparent permettant de recopier des dessins.*

Sans trop oser y toucher, il contemple les pages transparentes couvertes de portées et de notes presque invisibles. On pourrait croire qu'on les a tracées avec un vernis[454] incolore. On n'arrive à les lire qu'en se plaçant de biais[455] de manière à en voir briller chaque ligne à la lumière.

— DO, RÉ, FA, SOL dièse, chantonne le jeune homme. C'est bien l'*Adagio*. Décidément, ce type est complètement cinglé[456] !

Approchant son sac du piano, Serge Vaugras se prépare à y glisser la partition d'Athan. Mais à peine a-t-il touché les feuilles de calque que celles-ci tombent en miettes[457] sur le sol.

— C'est quoi, ce bazar[458] ? clame le jeune homme.

Bien décidé à ne pas rester plus longtemps dans cette maison de fou, il referme son sac d'un geste rageur. Il sort dans la cour et se dirige à grands pas vers sa voiture — en réalité, une vieille guimbarde[459] que les éditions Mathiers ont mise à sa disposition pour la durée du voyage.

---

454. Vernis (n.m.) : *Produit liquide que l'on met sur quelque chose pour le protéger et qui en séchant devient lisse et brillant.*
455. De biais (loc.) : *De côté.*
456. Cinglé (adj.) : *Fou. (fam.)*
457. Miette (n.f.) : *Tout petit morceau.*
458. Bazar (n.m.) : *Désordre, chose étrange.*
459. Guimbarde (n.f.) : *Vieille voiture en mauvais état. (fam.)*

– Pearl cache certainement quelque part une copie de son œuvre, grogne-t-il tout en démarrant. Le boss n'aura qu'à venir la récupérer. Moi, j'abandonne !

L'automobile traverse la cour dans un crissement[460] de pneus. Puis le bruit s'éloigne. Ce n'est bientôt plus qu'un bourdonnement lointain qu'accompagne, par instants, un grondement d'accélérateur.

*

Il le savait ! À peine a-t-il traversé la forêt que Serge Vaugras se sent envahi par le regret. Non point celui d'avoir abandonné lâchement[461] son poste, mais d'avoir négligé[462] de repasser par la cuisine. C'est qu'il meurt de faim à présent ! Il aurait dû se faire un bon sandwich avant de partir. Le temps est superbe. Il aurait pu s'arrêter sur le bord de la route et déjeuner tranquillement. Au lieu de cela, il va devoir partir à la recherche d'un restaurant. Un restaurant dans ce coin perdu ? Il faudra sans doute faire un détour, et donc perdre pas mal de temps. Adieu donc le dîner prévu avec Catherine ! Il arrivera trop tard à Paris.

– Tant pis, murmure-t-il pour lui-même. Elle me pardonnera bien. Et puis, après tout, nous ne sommes

---

460. Crissement (n.m.) : *Bruit aigu, grincement.*
461. Lâchement (adv.) : *Sans courage.*
462. Négliger (v.) : *Ici, oublier.*

pas mariés! L'important, pour l'instant, c'est de songer un peu à moi…

Le gros garçon arrête l'automobile pour chercher une carte routière. Il finit par mettre la main sur quelques feuillets crasseux[463] et à moitié déchirés.

– Voilà bien les façons de mon cher patron! À l'heure des GPS[464], il ne me laisse pour me diriger que trois bouts de papier en lambeaux[465]. Si je les regarde à l'intérieur, ça va faire comme la partition du vieux Pearl, me tomber en morceaux sur les pieds!

Serge Vaugras sort de la voiture. Par précaution, il se place dos au vent – une brise[466] légère qui vient de l'est et porte jusqu'à lui des odeurs de feuilles mortes et de fleurs sauvages. Il déplie avec soin la carte et la pose sur le capot[467] de l'automobile.

À l'instant même où il repère l'endroit exact de la forêt de B***, quelque chose comme une musique retentit[468] dans les airs. Le jeune homme jette un coup d'œil à l'intérieur de la voiture pour vérifier que l'autoradio ne s'est pas subitement mis en marche[469].

---

463. Crasseux (adj.): *Très sales.*
464. GPS (n.m.): *Système de localisation par satellite.*
465. Lambeau (n.m.): *Morceau déchiré, fragment.*
466. Brise (n.f.): *Vent faible.*
467. Capot (n.m.): *Partie en métal d'une voiture, au-dessus du moteur.*
468. Retentir (v.): *Se faire entendre avec force.*
469. Se mettre en marche (expr.): *Ici, s'allumer.*

– Mais non, ce ne sont pas des instruments, murmure Serge en tendant l'oreille. C'est le vent dans les branches, le froissement[470] des feuilles… C'est dingue ! On dirait vraiment des violons…

Un appel résonne au loin… Un *glissando* qui lentement monte jusqu'au SOL dièse, un *glissando* qu'accompagne un accord de trois notes : DO, RÉ et FA…

– Ce vieux fou ! Il m'a totalement chamboulé[471] l'esprit. Voilà que j'entends son *Adagio* à présent !

Serge Vaugras secoue la tête, comme pour chasser au loin tous ces sons qui l'entourent. Puis il se remet à observer avec attention la carte routière. Concentré sur son ouvrage, il ne prend pas garde[472] à l'oiseau qui vient de se percher sur le toit de l'automobile. C'est une bête minuscule, une petite boule de plumes multicolores. Mais elle vient d'entonner[473] fièrement un air de son invention. Son chant domine les sifflements du vent, le bruissement des herbes. Une oreille exercée[474] y reconnaîtrait, à peine déformée, une très ancienne ballade[475] irlandaise.

– Saint-Vantre sur R… ! lance Serge Vaugras en appliquant son gros index sur la carte. R, comme

---

470. Froissement (n.m.) : *Bruit d'un frottement.*
471. Chambouler (v.) : *Mettre sens dessus dessous, perturber. (fam.)*
472. Prendre garde (v.) : *Faire attention.*
473. Entonner (v.) : *Commencer à chanter.*
474. Exercée (adj.) : *Habituée, entraînée.*
475. Ballade (n.f.) : *Poème lyrique, parfois chanté. Ici, chanson populaire, traditionnelle.*

« ragoût[476] », comme « rôti[477] » ou comme « repas »…
Avec un nom pareil, il serait étonnant que l'endroit ne
possède pas un restaurant digne de ce nom. Me voilà
sauvé !

Après avoir étudié le chemin à suivre, le jeune
homme jette un dernier coup d'œil[478] au paysage. Il
s'agit de bien prendre ses repères. Puis il replie la carte,
la range et s'assied derrière le volant.

Il démarre, sans plus regarder en arrière. Rêvant
à un déjeuner idéal, il ne voit rien de la scène qui se
déroule[479] dans son dos. Un grand cerf vient de sortir
de la forêt, bientôt rejoint par une femelle à la robe
flamboyante. Tous deux se pressent l'un contre l'autre,
tendrement. Ils semblent contempler l'automobile qui
file à grande allure[480] et bientôt disparaît à l'horizon.
Le vieux mâle tourne alors la tête et contemple sa compagne. Celle-ci au même moment vient poser sa joue
sur le cou puissant de son époux. Elle laisse un instant
sa crinière rousse flotter au vent et balayer l'imposante
ramure. Puis, par jeu, la voilà qui se cabre[481] et pousse
un bref hennissement de bonheur. Personne n'est
là désormais pour assister à leurs amours. Personne

---

476. Ragoût (n.m.) : *Légumes, viande ou poisson cuits dans une
sauce.*
477. Rôti (n.m.) : *Pièce de viande cuite au four.*
478. Jeter un coup d'œil (expr.) : *Regarder rapidement.*
479. Se dérouler (v.) : *Se passer.*
480. À grande allure : *À grande vitesse.*
481. Se cabrer (v.) : *Se dresser sur les pattes de derrière.*

pour constater qu'ils forment un couple peu ordinaire. Le cerf et la jument restent ainsi un long moment, immobiles, à prendre le plein soleil de midi. Puis ils décrivent[482] un lent demi-tour avant de disparaître, côte à côte, dans l'épaisseur muette[483] de la forêt.

---

482. Décrire (v.) : *Ici, faire.*
483. Muette (adj.) : *Qui ne parle pas.*

Crédits

Principe de couverture : David Amiel et Vivan Mai
Direction artistique : Vivan Mai
Crédits iconographiques de la couverture : Made by Fergomros.
All rights reserved/Flickr/Gettyimages

Mise en pages : IGS-CP

Enregistrement, montage et mixage : Studio EURODVD

Texte lu par : Philippe Agaël

ISBN 978-2-278-07634-5 – Dépôt légal : 7634/01
Achevé d'imprimer en mai 2013 par Grafica Veneta (Italie).